Catalogage avant publication de Bibliothèque et Archives nationales du Québec
et Bibliothèque et Archives Canada

Dufresne, Rhéa, 1971-

Un clic de trop

(Collection Zèbre)
Pour les jeunes de 10 ans et plus.

ISBN 978-2-89579-616-9

I. Titre. II. Collection : Collection Zèbre.

PS8607.U374C54 2014 jC843'.6 C2014-940903-6
PS9607.U374C54 2014

Dépôt légal – Bibliothèque et Archives nationales du Québec, 2014
Bibliothèque et Archives Canada, 2014

Réimpression 2016

Direction éditoriale : Nicholas Aumais, Gilda Routy
Révision : Sophie Ginoux
Conception graphique, couverture et pages intérieures : Kuizin Studio (*kuizin.com*)
Photographies et illustrations : Marc Serre (p. 3-6, p. 8, p. 14-15, p. 21-31, p. 35-37, p. 41, p. 46-51, p. 66, p. 74, p. 79, p. 95, p. 103, p. 110, p. 113, p. 116, p. 123, p. 128, p. 143, p. 168) thenounproject.com collection : « Like » par Shmidt Sergey (p. 1, p. 3), « User » par Rémy Médard (p. 6, p. 83, p. 153-154), « Image File » par James Fenton (p. 21), « Mail Box » par Simple Icons (p. 46-48, p. 59, p. 79, p. 124, p. 126, p. 137, p. 164-165), « Scissors » par Maico Amorim (p. 83), « School » par Mike Wirth (p. 89), « Basketball » par Arthur Shlain (p. 95), « Gear » par Reed Enger (p. 144)

Financé par le gouvernement du Canada
Funded by the Government of Canada | Canada

Nous reconnaissons l'aide financière du gouvernement du Canada par l'entremise du Fonds du livre du Canada (FLC) pour des activités de développement de notre entreprise.

Bayard Canada Livres inc. remercie le Conseil des Arts du Canada du soutien accordé à son programme d'édition dans le cadre du Programme des subventions globales aux éditeurs.

Cet ouvrage a été publié avec le soutien de la SODEC. Gouvernement du Québec – Programme de crédit d'impôt pour l'édition de livres – Gestion SODEC.

Bayard Canada Livres
4475, rue Frontenac, Montréal (Québec) Canada H2H 2S2
edition@bayardcanada.com
bayardlivres.ca

Imprimé au Canada

Offert en version numérique

978-2-89579-936-8
bayardlivres.ca

UN CLIC
DE TROP
Rhéa Dufresne

À Marion, Yasmine et Laurianne,
pour avoir répondu patiemment
à toutes mes questions technos.

À Félix, pour le titre.

UN CLIC
DE TROP
Rhéa Dufresne
COLLECTION ZÈBRE

Facebook

L'application qui vous aide à rester en contact et à échanger avec les personnes qui vous entourent sans jamais vraiment les connaître.

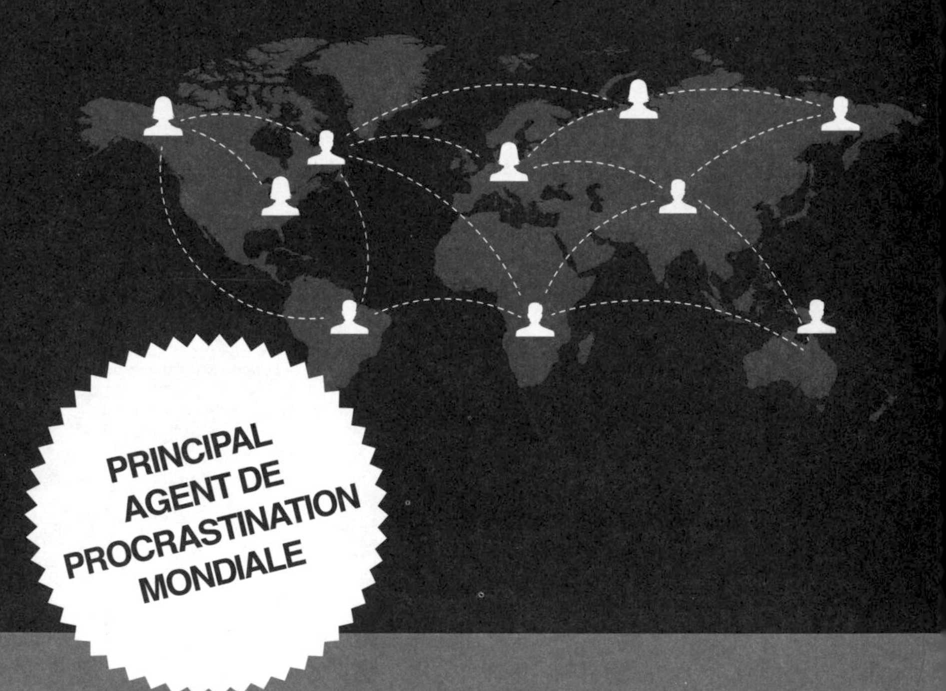

Connexion

courriel

mot de passe  valider

VENDREDI EN LONGUEUR

Léa tapote à toute vitesse sur l'écran de son iPod. Elle veut terminer son message sur Facebook avant que sa mère lui crie à nouveau :

— Léa, descends déjeuner! Tu vas être en retard.

« Zut! Trop tard! », pense Léa sans arrêter son geste.

— Et lâche ton truc, tu n'es sûrement pas attendue pour une opération à cœur ouvert ce matin.

Grrr! La fameuse réplique de Marie-France... Et elle se trouve drôle, en plus!

— C'est un iPod, maman, réplique Léa, pas un truc ni un cell. Un iPod! Et je ne suis pas en train d'envoyer un message, je m'habille.

C'est un mensonge, mais ce n'est pas bien grave. Au moins, ça clôt la conversation.

Maintenant, elle est certaine que Julia n'oubliera pas de lui rapporter son devoir. Chaque fois qu'elle en prête un, c'est la même chose. Elle se sent coupable. Comme si elle trichait. Et en plus, elle angoisse jusqu'à ce qu'elle ait récupéré sa copie. Elle se promet toujours de refuser la fois suivante, mais finalement, elle manque de courage et capitule. Surtout quand c'est Julia Mercier qui le lui demande. Comment dire non à sa meilleure amie?

• • • 👍 • • •

— Te voilà enfin, lance sa mère. Tu vas encore partir la bouche pleine.

— Ça va, maman, j'ai le temps.

— Le temps... c'est une façon de parler. C'est pareil chaque matin. Tu ne prends même pas le temps de t'asseoir.

— C'est le matin, maman, ce n'est pas comme si on avait de la visite! réplique Léa avant de quitter la pièce en coup de vent, faisant soupirer sa mère.

• • • 👍 • • •

La grande salle est sens dessus dessous. Léa se fraye un chemin entre la foule d'élèves qui échangent des cahiers, des devoirs et des commentaires sur les profs et les cours. Elle jette un œil au casier de Yasmine. Son amie n'est pas encore arrivée. Elle chemine péniblement jusqu'à son casier, ou plutôt son nouveau casier, qu'elle a réussi à échanger avec une fille de secondaire 3 pour être à côté de celui de sa meilleure amie. Comme tous les matins, Julia semble être avalée par son casier, il n'y a que sa queue de cheval qui dépasse un peu de la porte. Il faut dire que cet espace soi-disant de rangement est pire que tout ce qu'a vu Léa en termes de désordre. Julia atteint des sommets inégalés de fouillis sans jamais rien perdre. Un vrai mystère pour son amie.

— Hey, salut! Ça va?

— Salut, Léa. Oui, ça va. Je cherche mon cahier d'anglais. Si je l'oublie encore une fois, je risque la retenue, yark!

— Tu as rapporté mon devoir d'univers social?

— Bien sûr, attends que je le trouve... J'ai vu ton message ce matin, tu stresses toujours autant quand tu me prêtes un truc?

— Faut dire qu'avec ta méthode particulière de rangement... y a tout de même des risques.

— Ouais, bon… le rangement, ce n'est pas mon point fort, mais je n'ai jamais oublié de te rapporter un devoir. Tiens, le voilà.

Une première sonnerie retentit. Les deux filles s'activent, ferment leur casier et prennent chacune une direction différente. À la grande déception de Léa, elle n'est pas dans le même groupe que Julia... tout comme l'année dernière d'ailleurs. Elle espère être dans le même groupe que sa meilleure amie au moins une fois d'ici la fin de son secondaire. Faire tous ses travaux d'équipe avec Julia, ce serait génial. Même si elle devrait faire les trois quarts du travail elle-même, au moins la compagnie serait bonne!

Les deux premiers cours paraissent bien longs. Une heure quinze à écouter des exposés d'anglais, récités pour la plupart par des jeunes pas plus bilingues qu'elle, c'est aussi passionnant qu'un rendez-vous chez le dentiste. Quant au cours d'éthique et culture religieuse, même le prof semble sur le point de s'endormir. Les vingt minutes de pause qui suivent sont donc les bienvenues.

Les deux amies se retrouvent une fois de plus aux casiers.
— Alors, questionne Julia, bon matin?
— Mortel, soupire Léa. J'ai failli ne pas me réveiller.

Les deux filles rigolent franchement. Les cours plates, c'est le lot de tous les élèves. Il y a toujours des journées où ils semblent avoir été placés précisément pour être ennuyeux.

— Tu fais quoi, ce week-end? reprend Julia.

— Rien de prévu. Toi?

— Pour une fois, je n'ai pas de hockey samedi. Le camp d'entraînement est terminé et ils doivent former les équipes. On passe la journée ensemble?

— Ouais, *cool*! On fait quoi?

— Je ne sais pas trop. Il paraît qu'il va faire vraiment chaud. Mon père n'a pas encore fermé la piscine. S'il fait suffisamment beau, on pourrait se baigner un peu.

— OK, j'apporterai tout ce qu'il faut, on verra bien.

• • • 👍 • • •

Un autre cours plus tard, Léa et Yasmine progressent vers la cafétéria. Elles rejoignent Julia en compagnie de ses nouvelles amies, des filles de son groupe qu'elle connaît depuis l'année dernière. Léa n'est pas certaine de les trouver sympas. Ce n'est pas son genre de filles : toujours en train de compter les calories, de parler poids et vêtements, ou de simuler l'évanouissement devant un vidéoclip. Julia, par contre, semble les trouver intéressantes. Léa ressent parfois une petite pointe de jalousie à leur égard. Elle aussi s'est fait de nouvelles amies depuis l'année dernière, mais aucune n'a pris la place de Julia. Pas même Yasmine qu'elle a connue en secondaire 1 et qu'elle aime bien.

— Vous faites quoi, les filles, ce week-end? demande Béatrice, une des filles du groupe.

— On passe le sam...

Léa n'a pas le temps de finir sa phrase que Julia l'interrompt :

— Rien de spécial... J'ai du retard à rattraper dans mes travaux et je dois m'entraîner. Et vous, qu'est-ce que vous faites?

Léa est bouche bée... Pourquoi Julia ne dit-elle pas qu'elles ont prévu passer la journée ensemble? Les autres savent pourtant qu'elles sont amies depuis la maternelle. Léa ressent un profond malaise, tout à coup... Elle ne comprend pas ce qui vient de se passer.

SAMEDI PHOTOS

Ce que Léa préfère le samedi, c'est prendre le temps de se réveiller avant de sauter dans son jean. Faire le tour de Facebook, lire ses messages et réussir quelques tableaux de Flappy Bird dans son lit, c'est à ses yeux la meilleure façon de commencer la journée.

« Tiens, déjà un message de Julia. C'est rare qu'elle écrive si tôt, il n'est que 9h30. J'espère qu'elle n'annulera pas notre journée. »

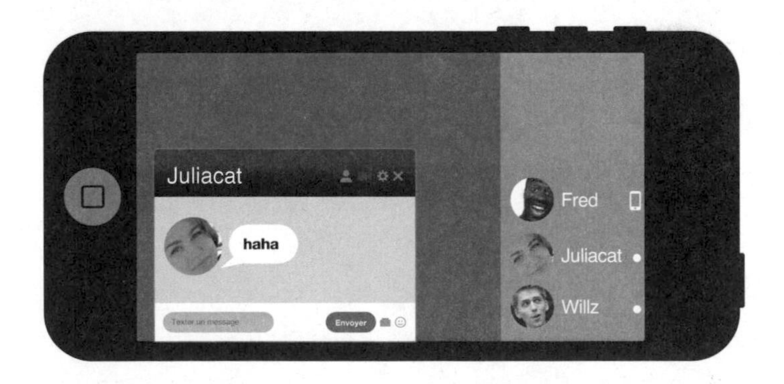

T'es réveillée?

On dirait que non! Fais-moi signe quand tu te réveilleras.

Je suis là!

Tu veux venir avant le dîner? On pourrait aller chercher du Subway et manger dehors, il fait super beau.

OK, je serai là vers 11 h 30.
Le temps de ranger un peu avant que ma mère vide le contenu de ma chambre dans un sac poubelle ;-)

OK, à+

Texter un message

Envoyer

Deux heures plus tard et quelques trucs en moins sur le plancher de sa chambre, Léa est prête à partir.

— Maman, tu viens me conduire chez Julia?

— Tu peux marcher, Léa. Un peu d'exercice ne te ferait pas de tort.

— Ahhhh, maman! D'abord, je suis plus artistique que sportive, tu le sais. Et je suis déjà en retard.

— J'arrive, mais j'espère que tu sais à quel point tu es gâtée. Un peu plus et je respirerais à ta place.

Une autre des blagues préférées de sa mère, qu'elle utilise le plus souvent possible après celle sur les opérations à cœur ouvert et la greffe de son iPod dans sa main. D'ailleurs, en voyant Léa monter dans l'auto avec son joujou, Marie-France ne peut retenir un commentaire :

— Pourquoi apportes-tu ce truc avec toi? Je ne vais pas te conduire chez ta copine pour que vous passiez toute la journée sans vous dire un mot, les yeux sur vos écrans.

— Mamaaaan! C'est un iPod! Un iPod, tu peux au moins retenir ça, non? Et puis, arrête de voir ça comme l'ennemi public numéro un.

Marie-France sait bien que tous ces gadgets technos sont à la mode, et elle les trouve même pratiques parfois, mais elle ne s'habitue pas à voir sa fille toujours penchée sur ce minuscule écran. Peu importent les arguments de vente des fabricants, elle est convaincue que tout cela tue la vraie communication.

Bien installées dans la cour arrière de la famille Mercier, les filles profitent de cette journée d'été au milieu de septembre.

— Alors, on termine ça et on se baigne un peu? propose Julia en regardant son sandwich.

— *Cool*!

La piscine creusée de Julia est géniale. Elle est grande, toujours chauffée et possède une partie profonde dotée d'un petit tremplin. Il y a des fleurs et des arbustes tout autour, si bien qu'on a l'impression d'être dans un hôtel chic.

— Eh, attends avant de sauter, Léa. On va faire des photos.
— OK, dis-moi quand tu seras prête.
— C'est bon, vas-y!

Léa s'élance du tremplin, mimant une pause de mannequin dans les airs. Son geste donne le ton à une séance de photos complètement loufoques. À tour de rôle, les filles sautent du tremplin en faisant toutes sortes d'acrobaties. L'étoile, le grand écart, des pirouettes, des vrilles, des grimaces, tout y passe. Au bout d'une heure, elles sont complètement épuisées. Bien allongées sur des matelas gonflables, les deux amies reprennent leur souffle en papotant.
— Que penses-tu de Béatrice et de ses amies? demande Julia.
— Bof… je ne sais pas trop. Parfois, j'ai l'impression de ne pas faire partie du même monde qu'elles.
— Ah… qu'est-ce que tu veux dire?
— Je ne sais pas… Je crois que c'est leurs sujets de conversation : le poids, les vêtements, les garçons... C'est pas moi, tout ça. On dirait qu'elles

sont plus vieilles que nous, alors que nous avons le même âge.

— Moi, je les trouve assez *cool*. Ce sont les filles les plus populaires de secondaire 2. Tout le monde les connaît.

— Peut-être... mais qu'est-ce que ça donne de plus, d'être populaire?

Une petite alarme musicale, tout droit sortie d'un des deux iPod sagement posés au bord de la piscine, retentit.

— Tiens, tu as reçu un message, dit Léa.

— Ouais, c'est justement Béatrice. Elle me demande si je veux aller magasiner avec elles. Ça te tente?

— Non, pas vraiment, répond Léa, mal à l'aise.

— OK, je vais répondre que je ne peux pas. On fait quoi, maintenant?

— On regarde les photos qu'on a prises?

— Bonne idée!

Une fois changées et leurs maillots suspendus pour sécher, les deux filles s'installent devant l'ordinateur de Julia pour faire le tri de leurs photos.

— Wow! T'es vraiment photogénique, Léa. Tes photos sont superbes. Tu as l'air d'une publicité d'Ardène.

Léa ne répond rien. Elle est un peu mal à l'aise. Elle sait que son corps a changé ces derniers temps, et elle a parfois l'impression de voir une étrangère dans le miroir. Toutes ces formes et toutes ces courbes… Elle aimerait bien que son corps prenne son temps pour grandir.

— Hey, reprend Julia, pourquoi on ne changerait pas tes photos sur Facebook? Celles que tu as datent de l'Antiquité.

— Euhhh, l'Antiquité, t'exagères! Elles ont à peine un an, je dirais.

— Un an, aujourd'hui, autant dire l'Antiquité. C'est plus *cool* de changer sa photo de temps en temps. Ça prouve que tu as une vie, réplique Julia.

Léa ne sait pas quoi répondre. Elle n'en a rien à faire, que les autres sachent qu'elle a une vie ou non. Depuis quand est-ce important? Toutefois, comme elle ne veut pas se lancer dans une discussion interminable avec sa meilleure amie, elle acquiesce.
— OK, on met lesquelles?

S'ensuit une longue séance de visionnement des photos du jour, avec de nombreux fous rires en prime. Les deux amies arrêtent enfin leur choix sur un cliché où Léa paresse sur le matelas gonflable au milieu de la piscine, et un autre où elle saute du tremplin en faisant l'étoile.

SAMEDI INTERMINABLE

De retour chez elle, Léa s'empresse d'ouvrir Facebook pour voir les commentaires qu'ont suscités ses nouvelles photos. Wow, déjà dix-sept en moins de deux heures…

Léa lit rapidement, le sourire aux lèvres, en se disant que Julia avait raison : il était temps qu'elle change ses photos. Elle poursuit sa lecture.

Et puis, le choc...

Léa en a le souffle coupé. Elle relit plusieurs fois le commentaire. « Mais qui est Lian? pense-t-elle. Je n'ai aucun ami qui porte ce pseudonyme. »

Les joues en feu, la jeune fille poursuit sa lecture...

Facebook

Votre réseau social envahisseur de vie.
Rappelez-vous que vos informations sont là pour être partagées.

— Non, mais c'est quoi, ça... Tout le monde va s'y mettre? Elle se prend pour qui, Annie Bélanger? Je ne vais quand même pas me laisser faire! s'écrie tout haut Léa.

« Et merde, pense Léa. Mais qui est cette fille? On dirait qu'elle attendait que je réponde pour faire un autre commentaire. »

Léa est verte de rage. Pourquoi est-ce que quelqu'un qu'elle ne connaît même pas se mêle de ses affaires? Elle ferme son iPod et le lance rageusement sur son lit.

• • • • • •

Léa a promis à sa mère de regarder un film de filles jusqu'au bout sans ouvrir son iPod, mais elle n'y tient plus. Il faut qu'elle aille voir sa page Facebook.

— Maman, je vais faire pipi. Tu mets le film sur « pause » deux minutes?

— C'est bon, vas-y. Ça te dit que je fasse du popcorn?

— Ouais, *cool*! Avec du sel, s'il te plaît.

Léa se sent un peu coupable de mentir à sa mère, mais il faut absolument qu'elle vérifie si Lian a ajouté quelque chose sur sa page Facebook.

— Et merde! s'exclame-t-elle en voyant que la liste des commentaires s'est allongée.

Assise en équilibre sur le bord de la baignoire, elle fait défiler les opinions qui s'amoncellent sous sa photo.

Léahaha

Lian Pas surprenant... les gars...

J'aime

Willz Mais t'es qui, toi?

J'aime

Yasmineblue Tous les gars ne sont pas comme ça!

J'aime

Willz :-) Yasmine

J'aime

AnnB Yasmine, tu es de quel côté? Pourquoi prends-tu la défense des gars?

J'aime

Yasmineblue Je dis juste que les gars ne sont pas tous pareils, c'est tout!

J'aime

Lian De toute façon, tant qu'il y aura des filles pour se croire plus « hot » que les autres, il y aura des gars pour les regarder.

J'aime

Et les commentaires continuent sur le même ton... Une discussion interminable que Léa n'a plus le courage de lire. Et cette fille qui pense la connaître, mais qui ne sait rien du tout d'elle.

— Léa, tu viens? Le popcorn est prêt.

— J'arrive, maman...

Elle n'a pas le temps de réagir à tout cela, encore moins d'y réfléchir. Et Julia qui ne répond pas à ses messages. Léa se souvient qu'elle est partie chez des amis de sa famille, mais elle a du mal à croire que Julia soit sortie sans son iPod.

Avant de quitter les toilettes, elle tente le coup une dernière fois en lui envoyant un message privé via Facebook.

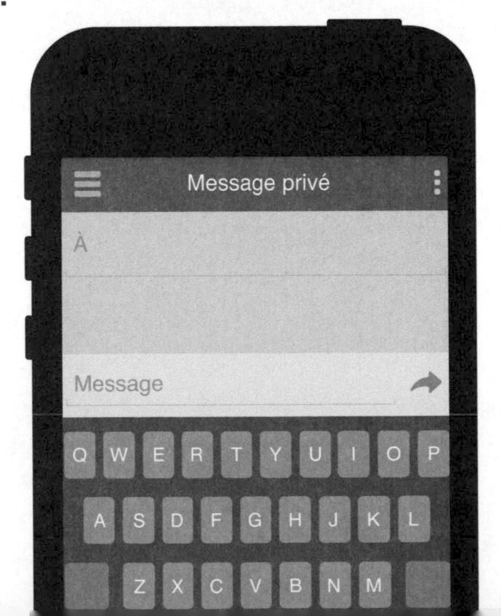

Le moral au plus bas, Léa retourne s'asseoir sur le canapé du salon avec sa mère. Le film prend fin sans qu'elle y ait porté la moindre attention.

• • • • • •

Samedi cède sa place à dimanche. Léa n'arrive pas à dormir. Elle guette une réponse qui ne vient pas. Elle ne sait plus ce qui l'inquiète le plus : le fait de voir ces commentaires désagréables, ou le silence de son amie.

DIMANCHE DE DÉCISIONS

Léa se réveille et constate qu'elle a dormi sans avoir pris le temps de se coucher. Un coup d'œil dans le miroir lui suffit pour comprendre où son iPod a passé la nuit : directement sous sa joue gauche... La journée commence mal.

Un saut sur Facebook lui révèle que rien n'a changé depuis hier. La discussion semble s'être calmée. Léa respire un peu mieux. Tant de stress pour deux malheureuses petites photos, c'est con, tout de même!

C'est une jeune fille optimiste qui file vers la cuisine, où sa mère est installée au bout du comptoir, face à l'ordinateur familial. Le cœur de Léa se serre d'angoisse. Elle espère que sa mère n'a pas décidé de faire une de ses visites surprises pour « voir » ce qui se passe sur sa page Facebook! Ce serait le plan parfait pour se voir confisquer son iPod le reste du mois. Léa est décidée : une fois le petit-déjeuner avalé, elle ira effacer ces commentaires. D'ailleurs, elle s'étonne de ne pas l'avoir déjà fait. Après tout, c'est elle qui a le contrôle. Il n'y a aucune raison de laisser n'importe qui dire n'importe quoi.

— Bonjour, ma chérie. Tu as bien dormi?

— ...

— Léa, tu es réveillée? Tu as bien dormi?

— Hein? Euh, oui, oui, maman, ça va. J'ai bien dormi.

— On ne le dirait pas. Tu as l'air toute chiffonnée. Tu as encore passé une partie de la nuit à *chater*?

— Mais non! crie Léa, surprise par son emportement. Pourquoi mets-tu toujours ça sur le tapis? C'est tout de même toi qui me l'as offert, ce truc, comme tu le dis. C'est pour que je m'en serve, non?

Marie-France est estomaquée par le ton de sa fille... Les mots tardent à venir.

— Voyons, Léa, tu t'es levée du mauvais pied? Bien sûr, je t'ai offert ce bidule, mais je peux aussi te le reprendre si ça te met dans des humeurs pas possibles.

Léa aimerait répondre quelque chose, mais elle sait qu'elle ne gagnera pas contre sa mère. Et pas question de perdre son iPod pour l'instant. Elle en serait réduite à tapoter sur l'ordinateur familial, au beau milieu de la cuisine. Ouach... impensable!

L'appétit coupé, elle reprend la direction de sa chambre, allume son iPod et cherche un message de Julia. Rien! Toutefois, Léa n'a pas envie de laisser sa déception prendre le dessus. Elle va passer à l'action. Un petit clic suffit pour faire disparaître cette longue conversation désagréable. Au fond, elle se trouve vraiment bête d'avoir stressé autant, alors qu'elle n'avait qu'à tout effacer.

En méditant devant sa page débarrassée des insultes de cette folle de Lian, Léa se demande si elle ne devrait pas retirer ses nouvelles photos. Tout est parti de là, mais en même temps, elle se sent frustrée de laisser gagner cette inconnue. Changer de photo équivaudrait à lui dire qu'elle a raison. Et s'il y a une chose dont Léa n'a pas envie, c'est de donner raison à cette fille. « Tant pis, alors! Les photos sont là pour rester », pense-t-elle.

• • • 👍 • • •

Quelques exercices de mathématiques plus tard, Léa s'étire et attrape son iPod. Elle a réussi à tenir une heure trente sans jeter un œil dessus, ce n'est pas si mal...

Aucune nouvelle de Julia. Ni sur iMessage ni dans sa boîte courriel. Il ne lui reste plus qu'à ouvrir Facebook, ce que Léa fait avec une certaine crainte.

— Merde, merde, merde, s'exclame-t-elle. Encore des commentaires sur ces foutues photos.

Léahaha 

Lian Tant qu'à te montrer en bikini, tu devrais peut-être suivre un régime... Voilà un lien utile : pourperdrevotrepetitventre.com

J'aime

Fred Moi, je te trouve très bien comme ça, Léa... ;-)

J'aime

Béa Un régime, ça fait jamais de tort, vaut mieux être trop mince que trop grosse!

J'aime

Yasmineblue D'accord avec Fred. Tu es superbe, Léa. Ne change rien.

J'aime

AnnB Très drôle, Lian...

J'aime

Val C'est quoi, cette histoire de régime??? Tu es parfaite.

J'aime

« Bon, ça suffit! C'est ma page et tout le monde parle, sauf moi », rage intérieurement Léa. Déterminée, elle répond :

« Et voilà le travail », se dit Léa avec un sourire qui ne parvient pas à faire disparaître la boule qu'elle a dans l'estomac. « Bloquer cette folle était la chose à faire pour avoir la paix… N'empêche que plein de gens ont lu ce qu'elle a écrit. »

Léa broie du noir. Plus le temps passe, plus elle sent le besoin de parler avec Julia. Elle file au salon récupérer le téléphone.

— Allô.

— Allô, Julia. T'étais où?

— Hein?

— Tu ne réponds plus depuis hier. Ni aux courriels, ni sur iMessage, ni sur Facebook.

— Euh, ben, j'étais occupée...

— Tu faisais quoi?

— Tu enquêtes ou quoi? réplique Julia un peu brusquement.

— Je suis désolée, excuse-moi, je suis un peu stressée. Tu as vu sur Facebook?

— Vu quoi?

— Les commentaires au sujet de mes nouvelles photos... Y a une espèce de folle qui dit n'importe quoi.
— Non, je ne les ai pas vus. J'étais chez des amis et j'avais oublié mon iPod ici. On a fait une soirée à l'ancienne, avec des jeux de société. Et quand je suis rentrée, j'étais crevée, je me suis couchée tout de suite.

Léa ne sait plus quoi dire. Tout cela est plausible, mais quelque chose dans le ton de son amie la fait douter. Julia, qui est toujours si sûre d'elle, semble hésiter. On dirait qu'elle n'a pas envie de parler.
— Écoute, Léa, je dois raccrocher, j'ai des devoirs à faire pour demain. À moins que tu me prêtes les tiens... ajoute Julia.
— Euh... bafouille Léa, surprise. Déjà? Tu ne veux pas que je te raconte?
— Euh... non, pas vraiment. Tu sais, sur Facebook, il y en a qui s'amusent à écrire n'importe quoi. Tu me raconteras demain. Bye!

Et clac! Julia vient de raccrocher et de mettre fin à la plus courte conversation entre les deux amies depuis très longtemps.

Léa est stupéfaite. Julia a toujours été sa confidente, et là, elle n'a pas montré le moindre intérêt pour son histoire. Quelque chose ne va pas, mais quoi?

La jeune fille passe l'après-midi à regarder des vidéos sur le Web et à surveiller l'apparition de nouveaux commentaires sur sa page Facebook. L'après-midi est interminable, et Léa continue de broyer du noir en tortillant machinalement une petite mèche de ses cheveux. Elle meurt d'envie de rappeler Julia, mais un pressentiment l'en empêche. Elle ne comprend pas quoi exactement, mais elle a l'impression qu'elle serait déçue si elle le faisait. Au fond, elle se dit que c'est plutôt à Yasmine qu'elle devrait téléphoner. Depuis l'année dernière, celle-ci est toujours là pour l'écouter. Elle jongle quelque temps avec cette idée, mais finalement, elle y renonce.

« Après tout, tente de se convaincre Léa, quelques commentaires sur Facebook, ce n'est pas la fin du monde. Il y a tellement de trucs sur Internet que demain plus personne ne se souviendra de tout ça. »

La fin de la journée et la soirée se déroulent dans un climat paisible, et Léa accepte même de jouer une partie de Scrabble avec sa mère.

Un dernier coup d'œil sur sa page Facebook avant de se mettre au lit finit de la rassurer... Ouf! Rien de nouveau.

LUNDI PRESSÉ

Contrairement à son habitude, au son du réveil, Léa se lève rapidement. Elle a hâte d'être à l'école, ce qui est presque aussi rare pour elle qu'avoir hâte de se lever. En fait, ce n'est pas tant l'école qui la rend impatiente que de revoir son amie.

Léa passe par la cuisine, ajoute une banane à sa boîte à lunch et file vers la salle de bain, avant d'enfiler rapidement un gros chandail à capuche et de quitter la maison.
— Bye, maman.
— Bonne journée, ma belle. Je rentrerai un peu plus tard ce soir, on soupera vers 19 heures.
— OK.

Léa est la première à l'arrêt du bus. Lentement, d'autres élèves arrivent les uns après les autres. Puis, enfin, le bus lui-même.

Une fois à l'école, Léa zigzague entre les vagues d'étudiants parfois plus serrés qu'un banc de sardines. Julia a déjà la tête dans le fouillis de son casier.
— Hey, Julia! Quoi de neuf?
— Salut, Léa. Rien de neuf. Et toi?
— Ben... rien à part ce dont je t'ai parlé hier.
— Ah... OK. Tu viens, on monte?

Léa est interdite. Elle a beau tenter de comprendre l'attitude de Julia, elle n'y arrive pas. On dirait que son amie se fiche complètement de ce qui lui arrive. Elle ne lui pose aucune question, ça ne lui ressemble pas du tout. Elles ont pourtant toutes les deux l'habitude de passer des heures à tout se raconter jusque dans les moindres détails... Et en plus, Julia attend toujours la première sonnerie avant de monter au deuxième étage en coup de vent.

Au loin, Léa voit arriver la bande de Béatrice. Elle n'a pas le temps de réagir que Julia la tire par la manche et l'entraîne vers les escaliers :
— Viens, on sera en avance, pour une fois.

Léa a du mal à ignorer la petite boule qui s'installe encore une fois dans son estomac et qui n'a rien à voir avec la faim. Elle n'est pas extralucide, mais elle voit bien que Julia ne se conduit pas comme d'habitude.

— Julia, ça ne va pas?

— Non, pourquoi?

— Je ne sais pas, tu as l'air différente.

— Non, y a rien.

— OK. Mais s'il y avait quelque chose, tu me le dirais?

— Mais il n'y a rien, je te dis, rétorque Julia en accélérant le pas.

• • • • • •

La journée passe sans accroc. Léa se dit qu'elle s'est inquiétée pour rien. Si elle a eu quelquefois l'impression qu'on la regardait, personne n'a fait de commentaires sur quoi que ce soit, et la petite boule dans son estomac a fini par disparaître complètement. Sa seule déception a été de ne pas avoir pu partager tout cela avec Julia. Chaque fois qu'elle a tenté de lui parler, son amie changeait de sujet. Et comme elles ont dîné avec Yasmine et toute une bande d'élèves, pour rien au monde Léa ne serait revenue sur la question.

• • • • • •

Une fois sa part de lasagnes engloutie et la table nettoyée, Léa laisse sa mère avec ses mots croisés et file dans sa chambre. Son iPod en main, elle réalise qu'il y a longtemps qu'elle ne s'est pas rendue sur son compte Gmail.

Il ne lui faut que quelques secondes pour constater l'improbable.
— Merde, merde, merde! s'écrit Léa.
— Qu'est-ce qui se passe, ma chérie?
« Zut », pense Léa. Il fallait justement que sa mère passe devant sa chambre à ce moment-là.
— Rien, maman. Ça va.
— Tu en es certaine? Ça n'a pas l'air.
— Ça va, j'te dis! lance Léa, de mauvaise humeur.
— OK, OK. Mais reste polie, rétorque Marie-France.

Léa se tait. Elle n'a pas du tout envie de subir une longue et pénible leçon de morale sur la politesse.

Fébrile, la jeune fille reporte son attention sur sa boîte courriel pour s'assurer qu'elle a bien vu. Eh oui, il y a un message dont l'objet est « Miss m'as-tu-vue ».

« Comment cette fille a-t-elle fait pour avoir mon adresse courriel? » se questionne Léa avant même de cliquer sur le message. Elle sait qu'elle devrait l'effacer sans l'ouvrir, mais évidemment, la curiosité l'emporte et elle laisse son doigt faire ce geste devenu un réflexe.

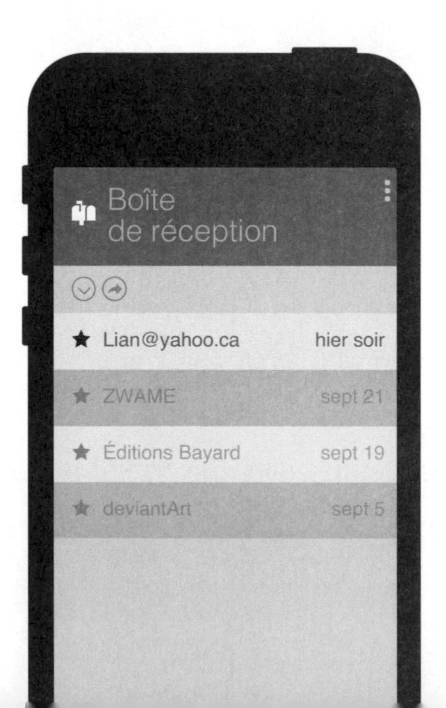

Lian@yahoo.ca / à Leahaha@gmail.com hier soir

**Penses-tu vraiment que me bloquer
de ta page Facebook va m'empêcher
de te dire ce que je pense de toi?
Ce n'est pas si simple,
Miss regardez-moi!**

Pièce attachée

Cliquez ici pour répondre ou faire suivre

Ce message est immédiatement suivi par un second :

Instinctivement, Léa pose sa main droite sur sa poitrine, dans l'espoir de calmer son cœur qui bat à tout rompre. Mais plus elle tente de se calmer, plus elle stresse. Les larmes lui montent aux yeux. Elle ne comprend pas ce qui lui arrive, mais ce message la chamboule complètement.

Les mains moites, elle reprend son iPod et tapote dessus à toute vitesse. Julia lui répondra, elle peut voir qu'elle est en ligne.

Julia, tu ne devineras jamais
ce qui m'arrive!!!!

Qu'est-ce qui se passe?

Lian m'a écrit sur mon compte Gmail.

???

La fille qui m'insultait sur Facebook,
elle a mon adresse courriel.

Elle s'excuse?

Au contraire.

Bof, ignore-la. C'est une no life.

Oui, mais si elle recommence
à écrire sur ma page?

Arrête de stresser, ce n'est pas si grave.
On se voit demain!

Texter un message

Envoyer

« Pas si grave… pense Léa. Ça paraît que ce n’est pas elle qui est prise avec cette débile. » Inquiète et triste, la jeune fille quitte la conversation avec l’impression que Julia et elle se comprenne de moins en moins.

Léa continue de ruminer toute cette histoire lorsque la petite alarme de sa messagerie se fait entendre. C’est Yasmine.

Léa se voit mal lui répondre qu’elle est en train de réaliser à quel point elle est déçue de sa meilleure amie.

Yasmineblue

Rien de spécial.

J'ai vu ta page Facebook.
Tes photos sont toujours là.

Euh...?

Tu devrais peut-être les changer, non?

Sais pas... J'aurais l'impression
de la laisser gagner.

Je n'ai pas envie qu'elle gagne.

Ce n'est pas un jeu, Léa. Si tu laisses
tes photos, tu lui donnes des raisons
de continuer à dire n'importe quoi.
Tu fais ce que tu veux, mais penses-y.

Ouais ;-ʃ

On se voit demain.

OK, à demain.

Texter un message

Envoyer

MARDI INSTABLE

— Léa, tu es réveillée?

— Merde, je me suis rendormie… râle Léa.

La jeune fille a passé une si mauvaise nuit qu'elle était encore épuisée quand le réveil a sonné, et elle s'est assoupie aussitôt après l'avoir éteint.

Elle enfile son jean de la veille, cherche un chandail propre dans la pile qui traîne par terre et récupère son sac à dos sous sa table de travail.

— Je file, maman, je ne veux pas rater l'autobus.

— Ton lunch, Léa!

— Oh, oui, c'est vrai!

Elle attrape la boîte à lunch tendue par sa mère, crie un « Merci! » puis s'éclipse.

Cette fois, elle arrive la dernière à l'arrêt de bus. Elle constate avec regret qu'elle a oublié son iPod dans sa chambre. Tant pis! De toute façon, à l'école, elle n'a pas de réseau.

• • • • • •

En s'approchant de la bande de Béatrice, elle sent des regards se poser sur elle. Les filles chuchotent et rigolent. Léa a l'étrange impression qu'elles parlent d'elle.

« Bon, j'oublie ça, se dit-elle. Je me fais des idées. »

— Salut, Julia! Salut, Yasmine!
— Salut, Léa!
— Ça va?
— Oui, oui, ça va, répond Julia. Il faut que j'aille voir quelqu'un, on se voit plus tard.

Avant que Léa puisse ajouter quoi que ce soit, Julia est déjà loin. Son amie reste interdite devant Yasmine, qui en profite pour prendre la parole.

— Écoute, Léa, j'ai repensé aux commentaires à propos de tes photos. Tu sais que c'est de l'intimidation que fait cette personne?

Léa écarquille les yeux, style poisson rouge, et bafouille un peu.

— Euh, tu exagères un peu, Yasmine. Ce n'est pas si grave, tout de même.

— As-tu reçu de nouveaux commentaires?

Léa n'est pas certaine d'avoir envie de tout raconter à Yasmine, mais d'un autre côté, elle est bien la seule que cette histoire semble intéresser. Et même si elle la connaît seulement depuis un an, elle sait qu'elle peut lui faire confiance. C'est le genre d'amie toujours disponible pour écouter les autres. Elle décide donc de se lancer.

— Rien sur Facebook, mais…

— Mais quoi?

— Mais deux messages sur Gmail.

C'est au tour de Yasmine de ressembler à un poisson rouge. Ce qui laisse le temps à Léa de poursuivre :

— Elle dit qu'elle reviendra sur Facebook.
— Et tu n'appelles pas ça de l'intimidation, toi? C'est quoi, alors?

Léa ne sait pas trop quoi répondre. Elle se perd dans ses pensées jusqu'au moment où elle constate qu'une bande de garçons, dont quelques-uns sont dans son groupe, la fixent, sourire aux lèvres.
— Allez, on monte! reprend son amie. On en reparlera plus tard.

• • • • • •

L'avant-midi passe à toute vitesse : discussion d'équipe dans le premier cours, puis arts plastiques et éducation physique. C'est la journée préférée de Léa.

Boîte à lunch en main, elle attend Julia. Yasmine est en récupération, ce midi. Bientôt, la salle des casiers est presque vide, et son amie n'est toujours pas là. Léa se dirige donc seule vers la cafétéria, en se disant que Julia discute peut-être avec un professeur. Elle lui gardera une place, ce n'est pas grave.

Dès qu'elle met les pieds dans la cafétéria, Léa s'étonne de voir Julia assise avec Béatrice et ses copines. Elle se sent tout à coup très triste. Elle a l'impression d'être en train de perdre son amie. Elle hésite un peu, puis se rend vers le groupe de filles. Après tout, il reste une place libre.

— Bonjour, les filles! lance Léa avec autant d'enthousiasme que possible.

S'ensuit une série de salutations dont la sincérité est douteuse. Léa sort son casse-croûte en silence. D'ailleurs, si le petit groupe lui semblait animé lorsqu'elle le voyait de loin, maintenant, on dirait que tout le monde évite de parler la bouche pleine. Mal à l'aise, Léa devine qu'elle n'est pas la bienvenue. Et les choses ne font qu'empirer lorsque Béatrice s'adresse à elle :

— Je suis surprise que tu manges, Léa. Tu n'as pas prévu te mettre au régime?

— Euh… non. Enfin… je sais pas. Pourquoi tu me demandes ça?

— Je croyais que tu l'avais dit, répond Béatrice avec un petit sourire en coin. Oublie ça!

La réplique de Béatrice est suivie de quelques éclats de rire. Julia fixe son sandwich au jambon comme s'il pouvait lui souffler une réponse cinglante. Même chose pour Léa, dont le visage prend une étrange teinte de rouge.

• • • • • •

De retour chez elle, Léa ne se sent pas mieux. Elle a passé l'après-midi dans la lune. Résultat : elle n'a rien compris et ne sait pas en quoi consiste le devoir de français. « Tant pis, je verrai ça plus tard », se dit-elle en se jetant sur son iPod. Elle respire profondément… rien depuis la dernière fois.

Malgré tout, des pensées contradictoires se disputent son attention. « Est-ce que j'ai paniqué pour rien? Quelques commentaires n'ont jamais tué personne. Cette fille a donné son opinion. Et après… on s'en fout! Est-ce ça, de l'intimidation? Vais-je devenir une “rejet”? Pourtant, j'ai déjà des amis. Et qui est Lian? Est-ce que je la connais? Pourquoi fait-elle ça? Pourquoi voudrait-elle m'intimider? Et si Béatrice était Lian? Hum… est-ce que je deviens parano? »

Léa cogite fort pour se persuader que cet incident est sans importance, mais certains détails la tracassent : l'attitude étrange de Julia, le commentaire de Béatrice, ces garçons qui la fixaient, ces messages désagréables. Tout ça, ça fait beaucoup!

• • • • • •

Se convaincre elle-même que cette histoire n'a pas d'importance aurait pu fonctionner quelques heures… si seulement Léa avait pu résister à l'envie d'ouvrir sa boîte courriel.

 Boîte de réception 

 Lian@yahoo.ca / à Leahaha@gmail.com aujourd'hui

Alors, Miss je-me-prends-pour-une-vedette, tu as commencé ton régime? Il faut t'y mettre si tu veux continuer à t'exposer en bikini! Tu ne voudrais pas devenir encore plus moche!

Pièce attachée

Cliquez ici pour répondre ou faire suivre

Grrrrrrrrrr! Léa sent le rouge lui monter aux joues. Elle oscille entre la rage et l'angoisse. Elle sait bien que cette fille dit n'importe quoi, mais elle ne peut pas s'empêcher d'aller se regarder dans le miroir qui orne la porte de sa chambre. Instantanément, elle s'en veut. Non seulement parce qu'elle laisse cette fille l'énerver, mais aussi parce que cette chipie réussit à la faire douter d'elle-même.

Elle n'y tient plus, elle doit parler à Julia. Un petit coup d'œil à sa montre lui permet de voir que son amie est sûrement revenue de son activité parascolaire. Elle saute sur le téléphone et compose le numéro qu'elle connaît par cœur depuis des années.

— Allô.

— Allô, Julia. C'est Léa. Qu'est-ce que tu fais?

— Je rentre tout juste. Le mardi, c'est mon jour de hockey cosom.

— Oui, oui, je sais. Mais maintenant, qu'est-ce que tu fais?

— Rien. Pourquoi?

— J'aimerais bien te parler de quelque chose. Est-ce qu'on peut se voir? Je pourrais passer chez toi?

— Maintenant?

— Oui. J'aimerais vraiment qu'on puisse parler.

— OK. On ne soupera pas avant 19 heures, mes parents travaillent tard.

— J'arrive.

Léa texte un court message à sa mère et file au pas de course.

Julia, des points d'interrogation dans les yeux, ouvre la porte à sa copine. Les deux filles montent immédiatement dans la chambre de Julia et tentent de se faire une petite place sur le lit, qui ressemble davantage à un grand débarras qu'à un endroit pour dormir.

— Peux-tu me dire ce qui se passe pour que tu viennes à pied chez moi un mardi?

— C'est encore la fille de Facebook qui m'écœure.

— ...?

— J'essaie de t'en parler depuis ce week-end, mais ça ne fonctionne jamais.

— Qu'est-ce que tu veux dire par « ça ne fonctionne jamais »?
— On dirait que ça ne t'intéresse pas…
— Voyons, Léa, tu te fais des idées! Je n'ai jamais dit que ça ne m'intéressait pas, rétorque Julia, un peu insultée.
— Peu importe, je ne sais plus quoi faire.

Léa débite son histoire sans respirer ou presque, en y intégrant la séance d'observation devant le miroir et ses doutes quant à son poids. Puis, elle prend une grande bouffée d'air et attend la réaction de son amie, qui tarde à se prononcer.
— Écoute, Léa, je crois que tu exagères tout ça. Je ne comprends pas pourquoi tu t'en fais autant.
— C'est moi qui ne comprends plus, Julia. J'étais certaine que tu m'aiderais à trouver une solution. Tu as entendu le commentaire de Béatrice ce midi. C'est évident qu'elle a dit ça à cause de ce qu'elle a vu sur Facebook. Je n'ai pas envie de voir toute l'école se mettre à m'insulter comme cette folle. Et en plus, tout ça a commencé à cause des stupides photos que TU voulais que je change.

La colère s'est emparée de Léa, et tout est sorti d'un trait. Elle termine son plaidoyer debout, essoufflée, les yeux pleins d'eau.

— Oh, et puis laisse tomber, lance-t-elle en dévalant les escaliers et en sortant de la maison comme une tempête.

Elle rentre chez elle en fulminant contre son amie, qu'elle ne reconnaît plus. Par chance, sa mère n'est pas là, sinon elle serait obligée de lui expliquer pourquoi elle a claqué la porte d'entrée si fort. La colère et l'angoisse s'ajoutent à la déception. Elle espérait retrouver son alliée et mettre au point une stratégie pour se débarrasser de cette vache. Mais finalement, elle a l'impression d'avoir perdu une amie, sa meilleure amie.

« Tant pis, pense-t-elle, je trouverai toute seule. Je ne vais pas me laisser marcher sur les pieds par une folle que je ne connais pas. »

MERCREDI OPTIMISTE

Léa est plus que jamais déterminée à mettre fin à cette histoire une fois pour toute. C'est la décision qu'elle a prise hier soir en élaborant son plan d'action. D'ailleurs, elle en est déjà à l'étape 2.

Malgré son optimisme matinal, un premier coup d'œil sur Facebook la renverse. Elle ne pensait pas que Lian pourrait refaire surface si rapidement.

PLAN D'ACTION

Changer mes photos sur Facebook.

Répondre aux courriels de Lian.

Répliquer à tous ceux qui auront
une attitude de con
ou qui feront des commentaires.

Léahaha 

Lianx2 Changer tes photos de profil ne changera pas ta personnalité. Tu restes une *bitch*!

J'aime

Yasmineblue *Cool*, tes nouvelles photos. Moi aussi, je suis fan de Patrick l'étoile de mer!

J'aime

Lianx2 C'est vrai qu'entre Patrick et Léa il y a des points communs. Ils ont le même tour de taille!

J'aime

Fred Moi, je préfère Carlos… un peu *loser*, mais drôle.

J'aime

Juliacat Moi, je vote pour Bob même si on n'a pas le même tour de taille :)

J'aime

Willz Les filles… Bob l'éponge, franchement ;-)

J'aime

Léa est sidérée par le commentaire de Julia. Que son amie entre dans le jeu de cette fille la déprime complètement. « On dirait qu'elle l'encourage », pense-t-elle en soupirant.

Les belles résolutions de Léa ont foutu le camp : elle n'a plus aucune envie d'affronter qui que ce soit. Le moral à plat, elle se pointe à la cuisine pour récupérer son lunch préparé la veille. Elle espère bien que sa mère sera plongée dans sa *Presse* et lui fera grâce de ses questions habituelles.

— Allô, ma puce. Bien dormi?

Eh non, finalement, rien ne lui sera épargné.

— Oui, oui, ça va.

— Tu en es certaine? Tu n'as pas l'air dans ton assiette.

— Mais non, ça va, je te dis. Je n'ai pas envie d'aller à l'école ce matin, ce n'est pas la fin du monde, non? Est-ce que je peux avoir la paix, une fois de temps en temps?

C'est au tour de Marie-France d'être estomaquée. Elle fronce les sourcils et ouvre la bouche pour répondre, mais finalement, elle ne dit rien. Sa fille a toujours eu du caractère, mais jamais elle ne lui a répondu de cette manière. Elle commence à croire qu'il se passe quelque chose dont elle n'est pas au courant. Ses antennes de mère vibrent légèrement.
— OK. Alors bonne journée et à ce soir, ma grande.
— Hum, hum.

Léa sait bien qu'elle a été désagréable avec sa mère, mais tant pis, elle s'excusera ce soir.

• • • 👍 • • •

Le trajet de bus n'a pas atténué la rancœur de la jeune fille. C'est en furie qu'elle arrive devant son casier et apostrophe Julia, qui a la tête dans son désordre pour y chercher ses livres.
— C'est quoi, ton problème?

Julia sursaute et fait face à sa copine, qui répète :
— C'est quoi, ton problème?
— Mais de quoi tu parles?
— Ton commentaire sur Facebook.
— ...
— Tu veux encourager cette folle? Non seulement tu ne t'intéresses plus du tout à ce qui m'arrive, mais en plus, tu es de son bord? lance Léa, les yeux étincelants de colère.
— J'ai juste dit que je préférais Bob l'éponge, c'est tout.
— Ce n'est pas tout. Tu as ajouté ton petit mot sur le tour de taille. Toi aussi, tu crois que je devrais me mettre au régime, c'est ça?
— J'ai dit ça comme ça. Pourquoi tu fais toute une histoire pour si peu?

Julia n'a pas le temps de finir sa phrase qu'un garçon de secondaire 3 passe en lançant :
— Eh, Léa, t'es pas venue en bikini ce matin?

Il est vite suivi par un copain, qui ajoute :

— Aurais-tu pris trop de poids pendant le week-end?

Et les deux garçons s'éloignent en rigolant. Les deux filles sont bouche bée.

C'est Julia qui rompt le silence la première.

— T'occupe pas d'eux, Léa. Ce sont des nuls.

— Ah, bon? Parce que maintenant, ça t'intéresse? réplique la jeune fille, de plus en plus en colère.

— Écoute, Léa, tu sais bien que, sur Facebook, il y a n'importe quoi. Il ne faut pas toujours tout prendre au sérieux.

Léa profite alors de l'occasion pour vider son sac :

— Ce n'est pas que Facebook, Julia. Toi aussi, tu as changé. On dirait que tu m'évites.

— Tu exagères encore, Léa. Ne deviens pas parano.

— Et la bande de Béatrice, alors?

— Quoi, la bande de Béatrice?

— On dirait que tu préfères être avec elles.

— Je ne préfère pas être avec elles. Seulement, ce n'est pas parce qu'on est amies depuis toujours qu'on n'a pas le droit de s'en faire de nouvelles.

L'arrivée de Yasmine qui peste contre le devoir de maths met fin à leur conversation, et Léa se retire dans sa bulle. Elle commence à se dire que son amie n'a pas tort. Elle n'a pas vraiment fait d'efforts pour connaître Béatrice et sa bande, mais elle n'est pas convaincue que ces filles soient si sympathiques que ça. La sonnerie marquant le début des cours interrompt ses réflexions.

• • • • • •

La matinée a été longue et pénible. Léa est soulagée de voir Julia appuyée contre son casier avec son éternelle boîte à lunch fleurie qu'elle possède depuis la 4e année. Elles se dirigent ensemble vers la cafétéria, où Yasmine les attend déjà.

Les trois filles s'installent au bout d'une table, où un groupe de garçons chahutent et se lancent de la nourriture. En remarquant les filles, l'un d'eux se retourne et s'exclame :

— Eh, mais c'est « la vedette de Facebook »!

— Tu veux faire une séance photo? Je te prête le bikini de ma sœur si tu veux. Je suis dispo après les cours, ajoute un autre en accompagnant sa réplique d'un clin d'œil peu subtil.

Le visage de Léa prend immédiatement une teinte canneberge. Si elle s'écoutait, elle fuirait en courant. Ses copines laissent encore passer quelques répliques assassines des garçons et encouragent Léa à les ignorer. Par chance, les garçons terminent leur repas rapidement et filent.

— Tu vois, j'avais raison de m'inquiéter! s'emporte Léa en fixant Julia. C'est n'importe quoi, et maintenant, tout le monde va m'embêter avec ça. Je n'aurais jamais dû t'écouter et mettre ces photos.

— Je ne sais pas quoi te dire, Léa. C'est fou… Je ne pensais pas que quelques photos et surtout quelques phrases sur Facebook pouvaient faire autant de dommages.

— Maintenant, il faut que j'arrête tout ça. Je dois trouver qui est cette fille. Vous m'aiderez?

Julia ne répond pas aussi spontanément que l'aurait souhaité son amie, mais puisque Yasmine n'hésite pas, elle finit par se décider et ajoute :

— Bien sûr que nous allons t'aider. Nous sommes tes amies.

— On peut se voir après les cours? demande Léa.

C'est Yasmine qui répond la première :

— Impossible pour moi. J'ai un rendez-vous chez le dentiste, ma mère vient me chercher à l'école.

— Et moi, j'ai un entraînement à 16 heures, reprend Julia. On fait ça demain?

Léa cache mal sa déception, mais au moins Julia semble avoir compris l'enfer qu'elle vit. Et avec l'aide de ses deux copines, elle a enfin un espoir de mettre fin à toute cette histoire.

Les filles terminent leur repas en bavardant, mais Léa ne peut s'empêcher de jeter des regards inquiets dans tous les coins de la cafétéria. Elle a l'impression que la moitié des élèves la fixent et chuchotent en l'observant. Elle voit même deux filles qui la pointent du doigt. Elle se demande si elle est parano ou si tout cela est bien réel. Elle termine sa journée avec un sentiment de malaise qui ne la quitte pas. Et la photo de Patrick l'étoile de mer qu'elle trouve collée sur son casier ne fait rien pour arranger les choses.

JEUDI D'ACTION

Le jeudi est déjà bien entamé et Léa commence à peine à penser qu'elle aura enfin une journée normale lorsque Yasmine arrive en courant, son cellulaire à la main.

— Qu'est-ce qui se passe, Yasmine?

— On dirait qu'une meute de loups te court après, ajoute Julia, qui arrive en même temps.

— Je ne sais pas trop comment te dire ça, Léa.

— Me dire quoi? Qu'est-ce qu'il y a? l'interroge Léa en malmenant une petite couette de son épaisse chevelure.

— Tu es allée sur Facebook?

— Tu sais bien que je n'ai pas de cell.

— Personne ne t'a rien dit?

— Je suis restée à la biblio pendant tout le dîner, répond Léa en tendant la main.

À regret, Yasmine donne son cellulaire à Léa, qui perd instantanément toutes ses couleurs. Sur son journal, on a remis une de ses photos. Elle est accompagnée d'une illustration de Patrick l'étoile de mer et d'une question : « Qui est la grosse étoile la plus sexy, Léa ou Patrick? »

— Je ne comprends pas, Léa. Je croyais que tu l'avais bloquée, cette fille.

— Mais oui, je l'ai bloquée!

— Et tu as changé tes paramètres de confidentialité?

— Mes quoi?!

La voix étouffée par le bruit de la cloche, Yasmine a tout juste le temps de répéter :

— Tes paramètres de confidentialité. Je t'expliquerai tout à l'heure.

Léa passe toute la période du cours d'histoire à jeter des regards suspicieux à droite et à gauche. Son calvaire prend fin sans qu'elle ait pris une seule note.

• • • • • •

Après quelques biscuits grignotés au bout du comptoir de la cuisine, les filles s'installent dans le fouillis qu'est la chambre de Julia.

Les yeux rivés sur la page Facebook de Léa, le trio guette une nouvelle apparition de Lian.

Léa est au bord de la crise de nerfs et répète sans cesse les mêmes questions :
— Mais qui c'est, cette fille, et qu'est-ce qu'elle veut?
— En tout cas, elle ne se gêne pas, réplique Julia avec un petit sourire.
— Avant de trouver qui c'est, on peut au moins la bloquer définitivement de ta page, remarque Yasmine.
— Mais je l'ai déjà fait, annonce Léa en tortillant de plus belle une mèche de ses cheveux. Elle a changé de nom et elle est revenue, tu vois bien!
— Oui, mais tu n'as pas changé tes paramètres de confidentialité, reprend Yasmine.
— Je te l'ai dit, je ne sais même pas de quoi tu parles.
— Ce n'est pas compliqué. Tu peux décider qui a le

droit d'écrire dans ton journal. Ça peut être tout le monde, comme c'est le cas maintenant, mais ça peut aussi être uniquement tes amis. Attends, je te montre.

Yasmine s'improvise coach de médias sociaux.

— C'est bien d'effacer ses commentaires et de l'empêcher de revenir, mais ce serait encore mieux de savoir qui c'est, intervient Julia.

— Julia a raison, acquiesce Yasmine. Il faut découvrir qui est derrière tout ça si on veut vraiment que ça s'arrête. Eh! Oh! Léa, tu es avec nous?

Léa ouvre son compte Gmail.

— Merde, merde, merde!

— Quoi? Pas un autre message? fait Julia.

Silencieuse, Léa tourne l'écran de l'ordinateur vers les filles.

 Boîte de réception

Lian@yahoo.ca / à Leahaha@gmail.com maintenant

Alors, Miss m'as-tu-vue, tu es contente?
Tu as vu que j'avais remis ta SUPER photo?
Comme ça, tout le monde pourra en profiter!

Et j'ai l'autre en réserve...
évidemment. Et d'autres surprises à venir...
C'est loin d'être terminé!

À très bientôt!

Pièce attachée

Cliquez ici pour répondre ou faire suivre

Yasmine fronce soudain les sourcils, se mordille les lèvres et réplique.

— Écoute, Léa, je crois que tu devrais en parler à un adulte.

— NON!

— Mais c'est carrément de l'intimidation. Tu dois dénoncer cette personne, insiste Yasmine. C'est criminel, tu peux même prévenir la police.

— Qu'est-ce que ça va changer? On ne sait même pas qui c'est. Et tu sais bien ce que répondent les adultes quand on leur dit ce genre de truc. Tu ne te rappelles pas le primaire? « Si quelqu'un vous écœure, ignorez-le. » Penses-tu vraiment que ça va changer quelque chose que je l'ignore? Tu crois qu'elle arrêtera son jeu?

Léa est à bout de souffle. Elle cesse de parler parce qu'elle sait très bien qu'elle ne pourra pas retenir ses larmes si elle continue. Julia prend alors la parole :

— Je suis d'accord avec Léa. C'est vrai que les solutions des adultes ne sont pas toujours efficaces, mais là, c'est pire que de se faire traiter de noms dans la cour d'école. Par contre, on pourrait essayer de découvrir nous-mêmes qui c'est.

— Et on fait comment, Madame la justicière? demande Yasmine. On ne sait même pas si cette fille est de notre école. Elle peut être n'importe où au Québec, ou même ailleurs dans le monde.

— Je ne vois pas pourquoi une fille de l'autre bout de la planète m'en voudrait à ce point, réplique Léa.

— Moi, je crois que c'est quelqu'un de ton entourage. Comme dans les séries policières, le meurtrier est toujours un proche de la victime.

— N'exagère pas, Yasmine. Il n'est pas question de meurtre, dit Julia.

— C'est juste un exemple. Il me semble que ça ne peut pas être une inconnue. En tout cas, peu importe, établissons un plan d'action.

— OK, acquiesce Julia. Et si ça ne marche pas, on fera à ta façon et on trouvera un adulte qui pourra vraiment aider Léa.

— Qu'est-ce que tu en penses, Léa?

— Je ne suis sûre de rien, mais OK pour le plan d'action, on verra après.

PLAN D'ACTION 2

1 Supprimer les photos.

2 Changer les paramètres de confidentialité.

3 Faire la liste des suspects [ne négliger aucune possibilité, même si ça semble impossible].

4 Élaborer un plan de surveillance pour identifier Lian.

5 Confronter les suspects potentiels.

6 Une fois l'ennemie identifiée, lui faire comprendre qu'elle sera dénoncée si elle ne cesse pas son cirque.

7 Retrouver une vie normale :)

Les filles sont optimistes. En plus du plan d'action, Julia a proposé de demander l'aide de son frère, qui passe des heures devant son ordi à développer des programmes et à pirater des sites Internet publics.

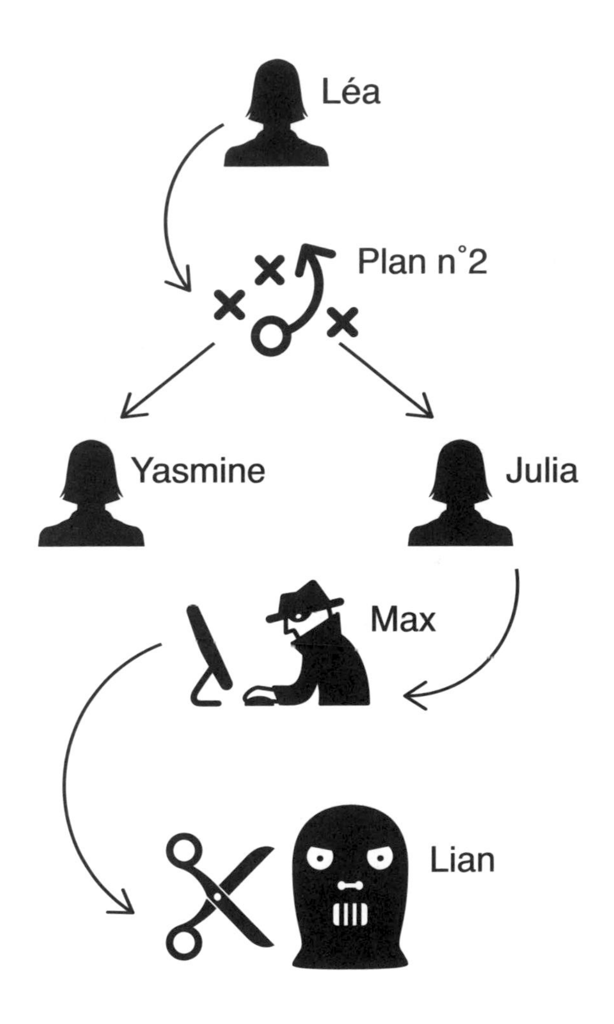

VENDREDI SOLITUDE

Les filles ont prévu se rejoindre à la cafétéria pour dîner, et se rendre ensuite à la bibliothèque pour dresser la liste des suspects potentiels.

Une fois ses cours du matin terminés, Léa traverse le couloir d'un pas décidé en direction des escaliers lorsqu'elle entend deux filles pouffer de rire dans son dos. Elle ne peut s'empêcher de se retourner. Les adolescentes scrutent l'écran d'un cellulaire que tient la plus grande des deux. Sur le coup, Léa croit que ces rires lui sont destinés, avant de poursuivre son chemin en se répétant qu'elle devient de plus en plus paranoïaque.

Au pied de l'escalier, un garçon et une fille discutent avec animation. Léa ne perçoit que quelques bribes de la conversation, mais suffisamment pour comprendre qu'il est question d'elle. La fille tente de convaincre son ami que la liberté d'expression n'a rien à voir avec le droit de ridiculiser quelqu'un sur Facebook. « C'est de pire en pire », pense Léa. Et elle a raison puisque, devant son casier, elle fait face à un trio qui l'applaudit et la félicite pour « sa belle photo ». Léa sait déjà qu'elle ne devrait pas poser de question, mais c'est plus fort qu'elle :

— Quelle photo?

— Ta nouvelle photo, on a reçu un Snapchat...

— ...

— Désolée! Il est trop tard, elle est déjà effacée, ajoute un autre membre du trio.

Léa fait demi-tour à une vitesse surprenante et quitte la salle, en entendant un dernier commentaire :

— Elle circule depuis tout à l'heure, alors tu trouveras peut-être quelqu'un qui l'a copiée.

Mais à ce moment-là, tout ce que désire Léa, c'est être seule. Dans un lieu où il n'y aura personne pour lui rappeler qu'on s'amuse à détruire sa vie. En passant devant la porte qui conduit à l'arrière-scène de l'auditorium, elle s'aperçoit que celle-ci n'est pas complètement fermée. Elle la pousse doucement. La salle vide baigne dans le noir. Léa se faufile tout au fond de la scène et s'assoit derrière le lourd rideau noir, où on ne risque pas de la chercher.

Elle sait ce qu'on peut faire avec une photo sur Snapchat, et c'est loin de l'encourager. Elle sent que la situation lui échappe. Elle lutte pour retenir ses larmes. Seule dans le noir, elle ne voit pas passer la pause du dîner. Au retentissement de la sonnerie marquant le début des cours, c'est à contrecœur qu'elle quitte son refuge. Yasmine et Julia la regardent arriver et s'empressent de la questionner.

— Léa, t'étais où? On t'a attendue à la caf. On est allées à la biblio au moins quatre fois.

— Euh… bafouille Léa. J'étais… euh… j'avais… Je ne me sentais pas bien. Mal à la tête, pas faim. Je me suis trouvée un coin pour me reposer.

Les filles savent bien que Léa ne leur dit pas la vérité… Elles ont eu vent de la nouvelle photo qui circule,

mais n'osent pas en parler à leur amie.
— Tu es certaine que ça va, Léa?

Celle-ci se doute bien que ses amies sont déjà au courant, mais elle n'a pas envie d'aborder le sujet. La question reste sans réponse.

• • • • • •

Bien qu'elle n'ait pas dîné, Léa ne picore que quelques miettes dans son assiette au souper. Elle n'a pas faim. « Au moins, pense-t-elle, je perdrai peut-être quelques kilos. Ça ne peut pas me faire de tort. » Sa mère n'a pas remarqué son manque d'appétit, et dès que la table est rangée, la jeune fille prend le chemin de sa chambre. Une seule chose l'intéresse : surveiller sa boîte courriel. Comme prévu, Lian s'acharne encore sur elle, mais cette fois… c'est révélateur.

Léa court chercher le téléphone.
— Allô, répond une voix au bout du fil.

Sans préambule, Léa entre dans le vif du sujet :
— Julia, tu es branchée?
— Hein? Non! Ben, qu'est-ce que tu veux dire?
— Tu as ton iPod?
— Non, je regardais un film.
— Va le chercher, je te transfère un truc.
— Tu as reçu un nouveau message, c'est ça?
— Oui, mais j'ai aussi une réponse.
— Hein? Quoi?
— Je sais maintenant si c'est une fille de l'école ou une inconnue.
— Comment ça?
— Va voir, tu vas comprendre.

Léa attend patiemment que son amie aille chercher son iPod et reprenne le combiné du téléphone.
— Je l'ai. Attends… Tu as raison. Y a plus aucun doute, c'est bien une fille de l'école.

La nouvelle photo montre Léa devant son casier, dans une pose plus ou moins esthétique, les yeux ronds, la bouche ouverte et les mains dans les airs. Elle est visiblement en colère. De toute évidence, cette photo a été prise lorsque Léa a perdu son calme devant Julia.

— Maintenant, il faut trouver qui c'est, rétorque Léa d'un ton déterminé.

— Je suis d'accord.

Savoir que son ennemie est à l'école effraie autant Léa que cela la rassure. D'un côté, ce sera plus facile de découvrir de qui il s'agit. Mais d'un autre, elle risque d'être encore plus nerveuse, de peur d'être photographiée à son insu encore une fois.

SAMEDI CHOC

Bien calée dans son lit, Léa termine la lecture de *L'étrange cas du Dr Jekyll et de M. Hyde*. Elle n'a pas le choix de s'y remettre si elle veut rendre son travail à temps. Elle a négligé beaucoup de choses cette semaine : sa lecture, son devoir d'histoire, son projet de techno et même son texte de théâtre, qu'elle n'a toujours pas sorti de son cartable.

Sa lecture terminée, elle ne résiste plus et ouvre son iPod. Malheureusement, cette balade virtuelle suffit pour réduire à néant l'état de détente dans lequel elle était plongée grâce à son roman. Elle est invitée à aimer une page Facebook qui a pour nom « Miss m'as-tu-vue ».

Décidément, depuis quelques jours, Léa a l'impression d'avoir le cœur en feu. Il s'emballe trop, beaucoup trop, et trop souvent aussi. Tout comme les inondations qui font rage dans ses yeux sans crier gare. Et si tout lui semblait facile lorsqu'elle a élaboré son plan d'action avec Julia et Yasmine, tout cela lui paraît maintenant complètement inutile.

Une mèche de ses cheveux solidement enroulée autour de son doigt, elle ignore les mises en garde du gros bon sens et clique pour accéder à la page Facebook. Elle aimerait être surprise, mais depuis que Lian est entrée dans sa vie, plus rien ne l'étonne. Résignée, elle découvre son nouveau cauchemar : une page imaginée par celle qui est devenue sa pire ennemie. Pour l'instant, il n'y a que les trois photos qu'elle a déjà utilisées, mais Léa craint que la situation dégénère rapidement.

La sonnerie du téléphone met fin à son élan de pessimisme.
— Allô.
— Allô, Léa. Ça va?
— Allô, Yasmine. Non, ça ne va pas vraiment.
— Est-ce que tu es allée sur Facebook?

— Oui. Toi aussi, je suppose. Tu as vu?

— Tu parles de ta page?

— C'est pas MA page.

— Excuse-moi, je suis désolée…

— …

— Écoute, Léa, je sais que tu ne le veux pas, mais je pense vraiment que tu devrais en parler à un adulte. Ça va beaucoup trop loin. J'ai lu des trucs sur la cyberintimidation, et c'est grave. C'est criminel, même. Tu ne peux pas continuer de faire comme s'il n'y avait rien.

— Hum, hum…

— Léa, c'est sérieux, insiste Yasmine. VRAIMENT sérieux. Si tu refuses d'en parler avec quelqu'un, je vais le faire.

— NON! Yasmine, c'est mon problème. C'est à moi de décider.

— Je m'inquiète pour toi, Léa. Je crois que tu ne fais pas le bon choix.

— Je préfère suivre notre plan. Si ça ne fonctionne pas, je verrai après.

— D’accord, fais comme tu veux. Mais je continue de penser que ce n’est pas une bonne idée.

Léa est soulagée d’avoir convaincu Yasmine de ne pas révéler sa situation à un adulte. Au fond, elle sait que son amie a raison, mais elle n’est pas prête à passer à l’acte. Elle voudrait s’en sortir toute seule. Elle n’a pas envie d’être la « rejet » qui n’arrive pas à régler ses problèmes elle-même.

Une nouvelle fois, la sonnerie de téléphone vient mettre fin à ses réflexions. C’est Julia qui l’invite pour l’après-midi.

Il est 14 heures lorsque Léa arrive chez Julia. Yasmine s’y trouve déjà.

— Ah, Yasmine! Je ne savais pas que tu serais là aussi.

— J’ai pensé que ce serait plus chouette de faire la liste des suspects ensemble, répond Julia.

— Chouette, c'est vite dit. Je préfèrerais ne pas avoir de suspect à chercher, réplique Léa avec mauvaise humeur.
— Désolée, c'est une façon de parler, Léa. Je sais qu'il n'y a rien d'agréable dans cette situation.
— Ça va, excuse-moi. Je suis vraiment stressée. As-tu demandé à ton frère de nous aider?
— Non, je n'en ai pas eu l'occasion. Soit il était absent, soit mes parents étaient là et Max n'aurait pas aimé que je parle de ses petites activités sur le Web devant eux. Il revient bientôt, on pourra lui en parler.
— OK. En attendant, allons-y avec les suspects.

La liste de Léa n'est pas bien longue, mais les filles y ajoutent quelques noms de plus.
— En ouvrant l'œil, dit Julia, on devrait pouvoir déterminer qui c'est.
— Je l'espère. Je ne suis pas certaine de pouvoir tolérer une autre semaine comme celle que je viens de passer, clame Léa.
— T'inquiète pas, on trouvera.

— Mais justement, on fera quoi, une fois qu'on saura qui c'est? Est-ce qu'elle arrêtera juste parce qu'on le lui demandera?

— Rendues là, rétorque Julia, on lui parlera. Si elle ne cesse pas tout de suite, on la dénonce.

— Moi, je crois qu'on devrait la dénoncer sans attendre, intervient Yasmine. Si on ne le fait pas, elle arrêtera peut-être avec toi, mais elle s'en prendra à quelqu'un d'autre. Les intimidateurs se trouvent toujours de nouvelles victimes.

La discussion se poursuit et Léa étudie la liste de suspects en attendant que le frère de Julia revienne de son match de basket.

SUSPECTS POTENTIELS

ANNIE BÉLANGER

C'est la première à s être rangée
du côté de Lian sur Facebook.

BÉATRICE

Elle a été la première
à faire des commentaires à l'école.

CYNTHIA

Pour plaire à Béatrice.

ARIANE
Elle m'en veut depuis l'année dernière
parce que le garçon qu'elle aimait
voulait toujours travailler
en équipe avec moi.
Mais elle a changé d'école.

LA FILLE AU CELLULAIRE
J'ignore son nom et je m'en fous,
mais c'est elle qui m'a parlé
de la photo Snapchat.

UNE INCONNUE
???

— Vous ne remarquez pas quelque chose dans cette liste? demande Yasmine.
— On y a mis juste des filles qui nous tapent sur les nerfs, répond Julia en souriant.
— Oui et non. Je voulais surtout dire qu'il n'y a QUE des filles.
— Tu crois vraiment que ça pourrait être un gars? demande Léa, plus que sceptique.
— Pourquoi pas? reprend Yasmine.

Julia et Léa sont perplexes. Aucune des deux n'a envisagé cette possibilité jusqu'à maintenant. D'ailleurs, la suggestion de Yasmine leur semble toujours impossible.
— Je ne vois pas un gars faire ça, énonce Léa.
— Et pourquoi? l'interroge Yasmine.
— Me semble que ce n'est pas le genre des gars, de *talkshiter* comme ça. Et pourquoi un gars m'en voudrait-il à ce point?
— Je n'en sais rien, moi, reconnaît Yasmine, mais il ne faut écarter aucune possibilité.
— Tu penses à quelqu'un en particulier?

— Hummm, hésite la jeune fille. Non, mais il faut garder l'œil ouvert.
— Est-ce que tu as eu des déclarations d'amour que tu aurais rejetées? demande Julia à Léa.
— Mais non, voyons! s'exclame celle-ci. Vous le sauriez déjà.
— Tu es secrète, parfois, tu sais.
— Elle a raison, Léa. Tu es plutôt discrète pour ces trucs-là.
— Et alors! C'est ma faute, peut-être? C'est comme ça que vous pensez m'aider? crie Léa, dont la colère est encore en train de prendre le dessus.

Léa est à fleur de peau. Si Julia et Yasmine n'avaient pas encore compris à quel point toute cette histoire affectait leur amie, maintenant, c'est fait.

Julia prend un ton rassurant :
— Léa, on cherche juste à déterminer qui est Lian...

À cet instant précis, on cogne à la porte de Julia. C'est Max.

— Salut. J'ai vu les souliers des filles dans l'entrée, et ça m'a rappelé que vous vouliez de l'aide pour quelque chose.
— Est-ce que tu peux trouver l'identité de quelqu'un à partir de son adresse courriel ou de ce qu'il met sur Facebook?
— Hum… pas évident. Ça prendra sûrement du temps, et ce n'est pas certain que ça fonctionne, mais je peux essayer. Par contre, il faut me donner accès à tes pages.
— En fait, répond Julia, ce n'est pas pour moi, mais pour Léa. Quelqu'un la harcèle sur Internet.

Max se tourne vers Léa et ajoute :
— Peu importe, c'est la même procédure. Il faut que j'accède à tes pages. J'ouvre mon ordi, venez me rejoindre dans cinq minutes.

Léa n'a pas d'affinité particulière avec le frère de sa copine, mais aujourd'hui, elle place de gros espoirs en ses capacités informatiques.
— Tu crois qu'il réussira? demande-t-elle à Julia.

— Il y a de bonnes chances. Il est vraiment doué. Il a fait plusieurs camps d'été spécialisés, et il a beaucoup appris en fouinant sur le Net.

• • • 👍 • • •

Voilà déjà deux heures que le jeune homme est penché sur son ordinateur, à sauter d'une page à l'autre. Il semble si concentré que Léa n'ose pas ouvrir la bouche, de peur de le déranger. C'est lui qui rompt finalement le silence.

— Pour l'instant, je n'arrive à rien. Je tombe toujours sur son pseudonyme. Les mesures de sécurité pour éviter le piratage se sont développées. C'est plus difficile qu'avant.

— C'est pas grave, soupire Léa, qui a du mal à cacher sa déception. De toute façon, j'ai l'impression que je suis un cas désespéré.

— Écoute, Léa, répond Max, parfois ces choses-là prennent du temps. Je vais continuer de chercher. Si je trouve quelque chose, je te fais signe.

La soirée est déjà bien avancée lorsque Léa reprend sa lecture de *L'étrange cas du Dr Jekyll et de M. Hyde*. Elle l'avait bien terminée ce matin, mais n'en a gardé aucun souvenir. Elle doute de faire correctement son devoir si elle ne parvient pas à se concentrer davantage.

Un petit « toc, toc! » se fait entendre.

— Entre, maman!

— Il est tard, Léa, et je te trouve un peu plus soupe au lait que d'habitude. Tu t'emportes pour un rien ces temps-ci. Je pense que tu ne dors pas suffisamment.

— J'allais me coucher. Mais je ne suis pas si fatiguée que ça.

— C'est toi qui le sais, dit Marie-France en soupirant, bien que de toute évidence, elle pense tout le contraire. Bonne nuit, alors.

— Bonne nuit, maman.

zrrr
zrrr
zrrr
Vous êtes en mode sommeil. Retournez sur Facebook pour voir l'activité sur votre profil.
Facebook, votre vie privée partagée par tous.

DIMANCHE INCOMPRIS

Il est midi lorsque Léa émerge du sommeil. Elle a non seulement eu du mal à s'endormir hier soir, mais sa nuit a aussi été peuplée de cauchemars. Dans l'un d'eux, il y avait une énorme banderole, au-dessus de la porte de l'école, sur laquelle il était écrit « Bienvenue, grosse nulle ». Dans un autre, elle retrouvait son casier entièrement tapissé de photos d'elle, obèse et en bikini.

Et évidemment, la situation ne s'arrange pas lorsqu'elle récupère son iPod tombé de son lit. Si elle a fait la grasse matinée, son ennemie, elle, n'a pas pris de pause. Sur la page « Miss m'as-tu-vue », elle trouve une photo d'elle, seule, assise devant son casier avec la question suivante : « Pourquoi Léa la *bitch* est-elle toute seule? » Il n'y a ni réponse ni commentaire, mais elle constate que la photo a été vue par l'équivalent de la moitié de l'école.

Elle oscille encore une fois entre la colère, la tristesse, la frustration et le découragement. Elle ne sait même plus ce qu'elle souhaite vraiment : découvrir qui est Lian pour qu'elle arrête de la harceler, ou simplement s'enfermer dans sa chambre et y passer le reste de l'année.

• • • • • •

Elle quitte finalement son repère pour le salon, où elle tente d'oublier sa vie en regardant *Hunger Games,* qu'elle a déjà vu au moins dix fois. C'est le moment que Marie-France choisit pour avoir une discussion mère-fille à propos de « ses antennes ». C'est comme cela que sa mère nomme sa capacité à deviner que quelque chose cloche chez sa fille.

— Léa, ça fait un bout de temps que je t'observe, et tu as changé, commence Marie-France.

Léa soupire sans retenue.

— Léa, tu es là? Tu m'écoutes?

— Oui, maman. Je t'écoute. Qu'est-ce qu'il y a?

— C'est ce que je voudrais savoir. Tu es beaucoup plus irritable que d'habitude depuis quelque temps. Qu'est-ce qui se passe?

— Il ne se passe rien du tout, répond Léa, la voix cassée par l'émotion.

— Je ne te crois pas, Léa. Tu es ma fille et tu sais que mes antennes me préviennent lorsque ça ne tourne pas rond chez toi. Je vois très bien que tu es différente depuis plusieurs jours. Tu tirailles constamment ta couette de cheveux comme tu le fais toujours quand quelque chose te chicote.

Léa hésite. Tout ce qu'elle vit est si lourd à porter. Elle est envahie par une foule d'émotions qu'elle a du mal à décrire. Elle jongle avec l'idée d'en parler à sa mère.

Elle prend alors une grande inspiration et se lance :

— En fait, il y a bien quelque chose. Depuis une semaine, je reçois des courriels désagréables, et la même personne fait aussi des commentaires débiles à mon propos sur Facebook. Elle prend même des photos de moi à mon insu et les poste sur ma page.

J'ai l'impression qu'elle me suit partout et qu'elle tente de convaincre tout le monde que je suis nulle. Elle m'a conseillée de me mettre au régime, de changer de look. Elle dit n'importe quoi.

Léa a tout déballé d'un trait, sans respirer. Une fois son aveu terminé, elle laisse échapper un long soupir. Mais son soulagement est de courte durée. Dès que Marie-France ouvre la bouche, sa fille regrette de s'être confiée.

— Franchement, Léa, pourquoi te laisses-tu atteindre par des enfantillages pareils? Dès que tu mets quoi que ce soit sur le Web, tu t'exposes à ce genre de truc. C'est le problème avec les ados aujourd'hui, vous semblez croire que la planète entière doit savoir ce que vous êtes en train de faire. Si tu gardais pour toi ta vie privée, tu n'aurais pas de soucis. Et depuis quand est-il si important de tenir compte de ce que pensent les autres? Laisse-les faire et ils vont se tanner.

— Maman, tu ne comprends pas…

Mais Léa n'a pas le loisir d'achever sa phrase.

— Je comprends très bien, au contraire. J'ai été jeune aussi, et à ton âge, on est convaincus que le monde tourne autour de soi. Mais crois-tu sérieusement que les autres vont se préoccuper de ce qui se dit sur toi, alors que le Web compte des milliers de messages?

— OUI! crie Léa. OUI, les autres s'en préoccupent! Tout le monde me regarde et parle dans mon dos, et, et…

— Au moins, reprend Marie-France, quand j'étais ado, lorsque j'étais à la maison, j'étais seule. Maintenant, même si vous n'êtes pas physiquement avec quelqu'un, vous êtes toujours connectés sur ce que font les autres. C'est normal que ça dégénère. Cesse de t'en faire avec ça. Dans quelques jours, plus personne n'y fera attention.

Les yeux de Léa s'emplissent de larmes, mais elle ne saurait dire si ces dernières sont de tristesse ou de colère. Comment sa mère peut-elle être si aveugle? Non seulement elle n'a rien compris, mais elle pense en plus que c'est sa faute.

— Laisse tomber, maman! lance Léa d'une voix aiguë. Tu ne comprends rien!

Et sur ce, Léa bondit du canapé sur lequel elle était affalée et s'élance en direction de sa chambre. Toutefois, elle n'est pas suffisamment rapide pour éviter la dernière réplique de sa mère. Celle qu'elle attendait depuis le début.

— Et si tu ne passais pas autant de temps sur ton truc, tu ne serais pas aussi bouleversée. Ferme tout ça et fais autre chose, déclare Marie-France, qui est maintenant complètement seule.

Léa a la tête enfouie dans ses oreillers, mais ça ne lui est d'aucun secours pour oublier ce que sa mère vient de lui dire. Comment peut-elle être aussi déconnectée de la vraie vie? Léa flotte dans un océan de déception. Elle aurait voulu que Marie-France prenne le temps de l'écouter, de se mettre à sa place, de lui demander ce qu'elle ressent. Mais elle refuse de comprendre. Son idée est déjà faite.

Léa passe le reste de la journée à ruminer ce qui lui arrive. À l'exception de quelques échanges avec Julia et Yasmine, elle attend que le temps passe en regardant des vidéos de chats sur YouTube. Tout ce qu'elle fait, elle le fait machinalement, sans arrêter de penser à Lian et à ses messages. Si seulement le frère de Julia pouvait découvrir de qui il s'agit…

LUNDI SENSIBLE

Léa piétine sur place en attendant l'autobus. Ce matin, ni sa mère ni elle n'est revenue sur la conversation d'hier. Pour l'instant, rien à signaler sur Facebook, elle l'a vérifié avant de quitter la maison.

Léa est à deux pas de son casier lorsque quatre filles de secondaire 3 passent en rigolant et en la pointant du doigt. Léa est médusée; jamais une chose pareille ne lui est arrivée auparavant. Elle est incapable de dire quoi que ce soit. D'ailleurs, elle est convaincue que si elle ouvre la bouche, des larmes jailliront de ses yeux. Elle préfèrerait se fondre dans le sol si cela lui était possible.

Julia et Yasmine ont tout vu et tentent de l'encourager. Léa est heureuse d'avoir toujours ses copines sur qui compter. Mais si un jour, elles en avaient marre de traîner avec une « rejet »? Et si elles la laissaient tomber?

Les cours se déroulent comme d'habitude, avec leur lot de pitreries, de discipline, de notes à prendre et de devoirs qui s'accumulent. L'heure du dîner est la bienvenue, même si Léa n'a pas très faim. Elle repère Julia et Yasmine, attablées au fond de la cafétéria. Elle n'y coupera pas, elle devra parcourir toute la salle sous les regards de tous. Pour la première fois de sa vie, elle traverse un lieu en se demandant ce que les autres pensent d'elle. Elle n'avait jamais eu l'occasion de s'en préoccuper avant. Maintenant, tout est différent, elle sent les yeux se poser sur elle, et malgré le brouhaha ambiant, elle a l'impression d'entendre des rires et des chuchotements qui la concernent. Elle distingue, à travers la trame de fond des bruits de repas, quelques mots qui ressortent :

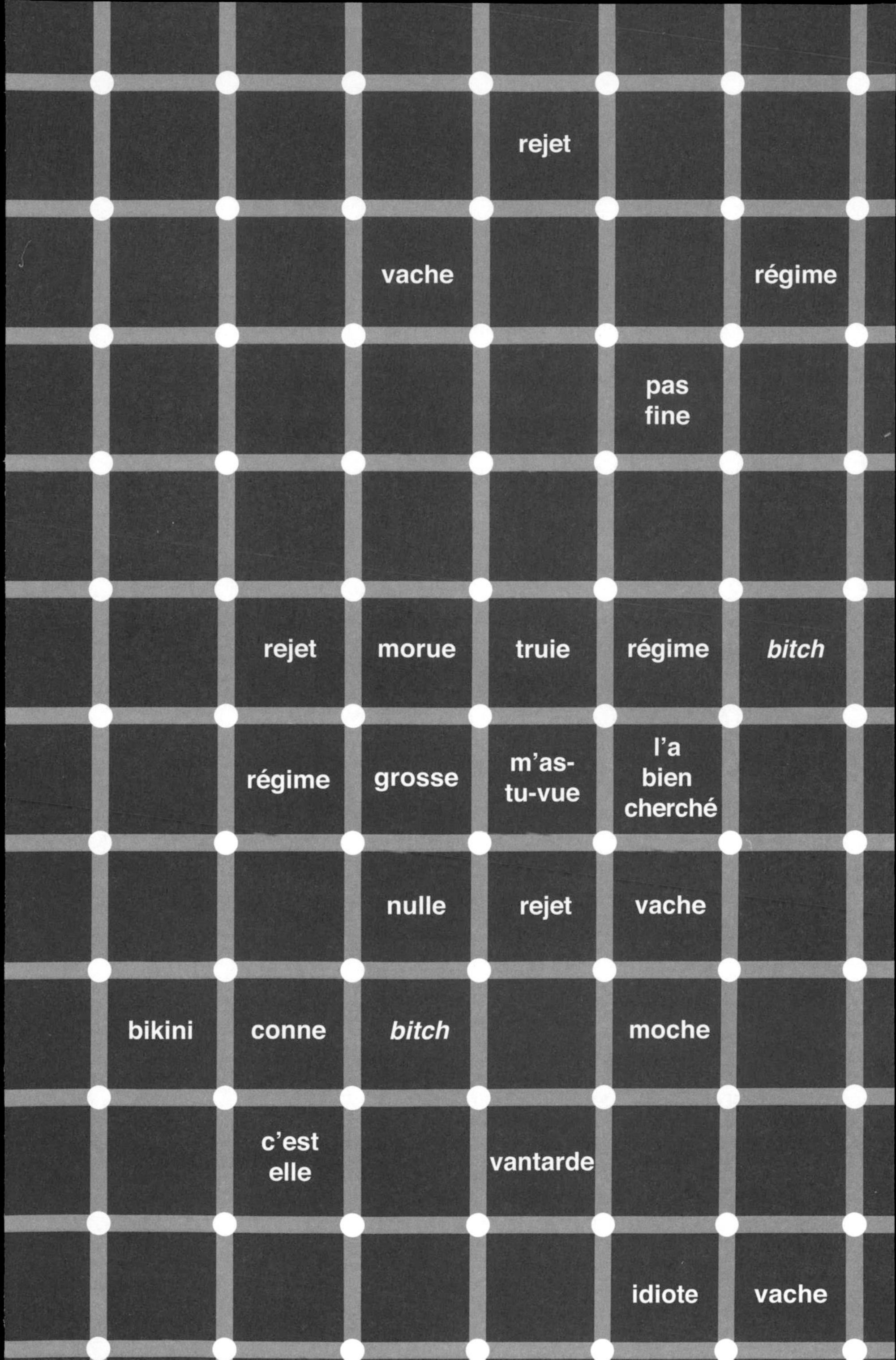

rejet
vache
régime
pas fine
rejet
morue
truie
régime
bitch
régime
grosse
m'as-tu-vue
l'a bien cherché
nulle
rejet
vache
bikini
conne
bitch
moche
c'est elle
vantarde
idiote
vache

C'est trop pour elle. Son malaise prend de l'ampleur. Elle cligne très vite des yeux pour empêcher les larmes qui brouillent sa vue de rouler sur ses joues. Elle fait volte-face et reprend la direction des casiers. Elle a l'impression de se sauver comme une voleuse, alors que c'est à elle qu'on a volé quelque chose. À ce moment précis, Léa se déteste. Elle se déteste de laisser quelqu'un qu'elle ne connaît pas avoir autant d'emprise sur elle.

Le dos appuyé contre son casier, elle se laisse glisser par terre, sa boîte à lunch sur les cuisses. Elle parvient à ne pas pleurer, mais ses mains tremblent et un mal de cœur atroce lui fait oublier l'idée de manger. Elle espère que Julia et Yasmine l'ont vue, mais elle en doute, parce qu'elles semblaient toutes les deux en grande discussion. Et si elles aussi la jugeaient comme les autres? Et si elles aussi la rejetaient?

Une quinzaine de minutes avant la sonnerie marquant le retour en classe, le va-et-vient commence. Tout à coup, un garçon et une fille qu'elle ne connaît pas se dirigent vers elle, un cellulaire à la main.

— Eh bien, dis donc, tu es de plus en plus populaire, annonce le garçon.

Sans bouger, Léa lève vers lui des yeux interrogateurs.
— Mais oui, tu es devenue une vraie vedette, reprend la fille en rigolant et en lui mettant son cellulaire sous le nez.

Léa constate alors que des commentaires se sont accumulés sous une nouvelle photo, sur laquelle elle apparaît dans une pose « sexy », allongée sur un lit aux draps rouges, en petite tenue... pour ne pas dire presque nue. Évidemment, le corps ne lui appartient pas, mais c'est bien sa tête. Le montage est nul, mais il fait son effet.

Les deux ados rigolent encore alors que Léa perd complètement les pédales... Elle se lève d'un bond et court se réfugier dans les toilettes. Elle a bien écrasé quelques pieds et distribué quelques coups de coude au passage, mais elle ne pouvait rester sur place plus longtemps.

Chat
AnnieB
16 h 10
C’est vraiment débile.
Qui a fait les photos ?
Cynthia, t’es là ?
Répondre
Cynthia
16 h 12
MDR ! Hâte de voir la suite.
Je le savais qu’elle était
comme ça.
Répondre
Willz
16 h 30
Je veux pas juger mais
c’est un montage sketch.
C’est pas la dernière version.
Ça laisse à désirer.

Dans l'autobus qui la ramène chez elle, Léa est livide. Elle a les mains glacées, et peu importe qu'elle garde les yeux ouverts ou non, elle a toujours en tête l'image qu'elle vient de voir. Elle n'arrive pas à comprendre ce que cherche cette fille.

De retour chez elle, Léa fonce sur le téléphone pour prévenir sa mère. Elle devra lui mentir, mais il vaut mieux le faire avant que l'école ne la prévienne de son absence. Finalement, cela s'avère plus facile qu'elle ne l'aurait cru. Sa mère lui pose quelques questions, mais Léa réussit à la convaincre de ne pas rentrer du travail pour prendre soin d'elle. Elle lui promet de faire une sieste. Ce qu'elle ne fera pas, évidemment, mais pour l'instant, faire des cachotteries à sa mère est un petit problème comparativement à tout ce qui se passe dans sa vie. Tout est en train de foutre le camp sans qu'elle ait vu venir quoi que ce soit.

L'après-midi est terminée, et Léa n'a rien fait d'autre que de rester allongée sur son lit, à regarder les commentaires défiler sous sa photo. Elle n'avait jamais réalisé à quel point Facebook ne dort jamais. Évidemment, les jours d'école, c'est plus tranquille, mais il y a tout de même des étudiants qui textent entre les cours et même pendant les cours pour les plus téméraires.

Le téléphone sonne. C'est Julia.
— T'étais où? On t'a cherchée partout.

Léa voudrait bien répondre calmement, mais ouvrir la bouche donne le feu vert aux émotions. Elle se met à pleurer de plus belle, incapable d'articuler quoi que ce soit.
— Léa, qu'est-ce qui se passe? Tu es toute seule?
— Oui, marmonne faiblement Léa.
— Ne bouge pas, j'arrive, décide Julia.

Elle raccroche sans attendre de réponse. Trente minutes plus tard, la sonnette de l'entrée retentit. Léa va ouvrir, les yeux rouges et bouffis.
— Yasmine s'inquiétait aussi, explique Julia. On voulait venir ensemble.

— Entrez, dit Léa.

— Explique-nous. Pourquoi es-tu partie en catastrophe sans prévenir?

— Vous n'êtes pas déjà au courant? demande Léa, espérant un peu que la réponse soit négative.

Julia hésite. Elle sait que sa réponse n'aidera pas sa copine, mais lui mentir est inutile.

— Plus ou moins, bafouille-t-elle. On a entendu des trucs, mais on n'a rien vu. Yasmine n'avait pas son cell.

— Qu'est-ce que vous avez entendu?

— Des trucs à propos d'une photo sexy.

— Écoute, Léa, tu dois absolument en parler à ta mère.

— C'est déjà fait et elle n'a rien compris! lance Léa avec colère. Elle n'avait rien d'autre à me suggérer que de fermer mon iPod et d'oublier tout ça.

Les deux copines restent muettes. Elles ignoraient que Léa en avait parlé à sa mère, et ne pouvaient soupçonner que celle-ci ne prendrait pas les choses au sérieux.

— Alors, trouvons quelqu'un à l'école, propose Yasmine.
— Ça ne me tente pas trop. C'est déjà pas évident que toute l'école me regarde, alors je n'ai pas envie que les profs et la direction s'y mettent aussi.
— Tu dois faire quelque chose! Tu ne vas pas rester enfermée dans ta chambre jusqu'à ce que cette fille ait envie d'écœurer quelqu'un d'autre!
— Dit comme ça, ce n'est pas une si mauvaise idée, réplique Léa, d'un ton maussade.

Yasmine et Julia se regardent, consternées. Les propos de leur amie sont dénués de sens, et elles se sentent totalement impuissantes.

Quelques légers coups contre la porte de la chambre de Léa mettent fin à la discussion. Marie-France fait son apparition. Elle remarque tout de suite que sa fille a les yeux rouges et sent le malaise que provoque son arrivée.
— Bonjour, les filles. Je ne savais pas que vous étiez là.

— On vient tout juste d'arriver, répond Julia. Nous sommes venues prendre des nouvelles de Léa et lui apporter ses devoirs du dernier cours.
— Mais vous n'êtes pas dans le même groupe, rétorque Marie-France.
— Une amie du groupe de Léa qui habite loin nous a donné le nécessaire.
— Ah, bon, c'est gentil. Et toi, Léa, comment te sens-tu?
— Ça va mieux, maman. J'ai dormi un peu. Je crois que quelque chose dans mon lunch n'était pas frais… peut-être le jambon.

Léa est sidérée de voir la facilité avec laquelle elle arrive à mentir, tout à coup. Elle qui n'a jamais été à l'aise de le faire… Elle ne sait pas trop si c'est bon signe ou non.
— Voulez-vous souper avec nous, les filles?

Julia et Yasmine interrogent du regard leur amie, qui hoche la tête.
— OK. Merci, c'est gentil.

Marie-France referme la porte doucement. Elle n'est pas dupe. Elle ne croit pas deux minutes à cette histoire de jambon pas frais. Elle croit plutôt qu'il s'agit d'une chicane de filles ou peut-être même d'une histoire de garçon. Sa fille grandit, elle le voit bien.

Sitôt la porte close, un petit « bip! » rompt le silence. Quelque chose a été ajouté sur la page Facebook ennemie. Anxieusement, la jeune fille prend son iPod et l'examine. Immédiatement, elle blêmit.

— Qu'est-ce qu'il y a? Raconte, demande doucement Julia.

En guise de réponse, Léa tend son appareil aux filles. Elles y voient une photo de Léa en train de marcher vers l'arrêt d'autobus. À voir comment elle est habillée, il s'agit bien d'un cliché pris ce midi. Sous la photo se trouve une petite inscription : « Qu'est-ce que tu fuis, grosse moche? »

— Merde! C'est carrément angoissant, marmonne Yasmine.

— Tu l'as dit, on se croirait dans un film d'horreur, répond Julia.

— Un film d'horreur bien trop réel pour moi, ajoute Léa.

MARDI ESPOIR

Les yeux à peine ouverts, Léa se rue sur son iPod. Ce n'est plus un plaisir ni même une simple habitude, c'est un besoin. Même si elle risque d'avoir mal, elle ne veut pas ignorer ce que tous les autres vont savoir. Elle doit regarder coûte que coûte.

Rien sur Facebook, mais un nouveau message sur Gmail. Elle ne reconnaît pas l'adresse courriel. Elle clique néanmoins dessus en espérant ne pas avoir gagné un deuxième ennemi.

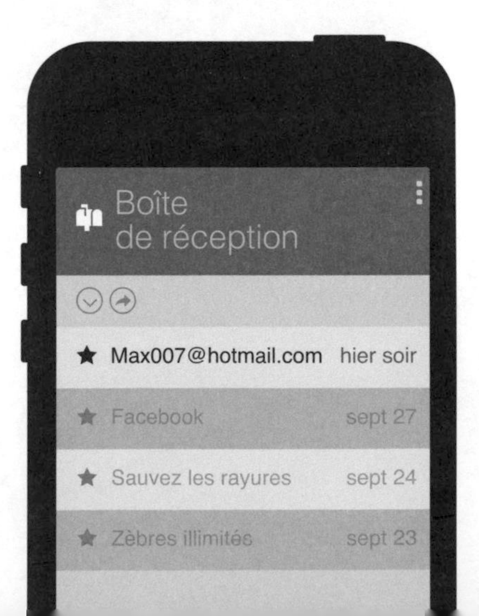

Boîte de réception

Max007@hotmail.com / à Leahaha@gmail.com hier soir

Bonne nouvelle, Léa, j'ai trouvé une adresse!
Plusieurs messages et *posts*
que tu as reçus proviennent du cellulaire
d'une certaine Bernadette Baudin.
La connais-tu?

Maintenant que j'ai un nom,
je vais tenter de trouver l'adresse de cette personne.
Ça pourra sans doute t'aider.

À bientôt,
Max

Pièce attachée

ADRESSE IP . . . .
154.568.1.19 . . . .

INFO SUR LE COMPTE . . . .
BERNADETTE BAUDIN . . . .

Cliquez ici pour répondre ou faire suivre

Pour la première fois depuis longtemps, Léa est soulagée. Elle ne connaît aucune Bernadette — c'est plutôt un nom de vieille dame —, mais au moins, elle tient quelque chose. C'est peut-être le début de la fin de cette histoire d'horreur.

• • • • • •

Lorsque Léa arrive devant son casier, ses amies s'y trouvent déjà.

— Les filles, lance la nouvelle venue, c'est ce matin qu'on met le plan en branle! Ouvrez bien les yeux et prenez des notes.

— Prendre des notes? s'exclament en chœur Julia et Yasmine.

— Ben, quoi! Vous avez déjà vu des enquêtes sans prises de notes? reprend Léa en souriant.

— Et tu veux qu'on note quoi, au juste? demande Julia.

— Tout. Ceux qui me regardent, ceux qui prennent des photos, ceux qui rient, qui me pointent du doigt, qui font des commentaires… Enfin, tout.

— Euh, tu as l'air de très bonne humeur, ce matin, remarque Yasmine.

— Ouaip! Max a trouvé d'où viennent les messages.
— QUOI? s'exclament les deux amies. Et tu attendais quoi pour nous le dire?
— Eh bien, je vous le dis maintenant...

Léa s'approche de ses copines, baisse le ton et ajoute :
— C'est Bernadette Baudin.
— ...
— Je ne connais pas du tout cette fille, mais les messages ont été envoyés avec son cellulaire.
— Est-ce que tu as plus de détails?
— Non, mais ton frère m'a dit qu'il continuerait à chercher. Il va essayer de dénicher une adresse. Et ce soir, je vais faire quelques recherches sur Google; je trouverai peut-être quelque chose.

Les filles ne partagent pas tout à fait l'enthousiasme de Léa, mais elles n'osent pas altérer sa bonne humeur. Il y a trop longtemps qu'elles l'ont vue comme ça.
— On se retrouve ici pour le dîner? ajoute Léa. On pourra échanger nos observations.
— OK, répondent ses amies.

Après deux cours, Léa est déjà à bout. Elle a du mal à suivre les discours des professeurs, à prendre des notes et, en même temps, à observer ses camarades de classe. D'ailleurs, elle doit mettre un frein à son analyse sous risque de torticolis extrême et de paranoïa généralisée. Il n'y a rien de pire que de croire que tout le monde nous regarde pour avoir la conviction que c'est le cas. En fait, chaque fois que Léa tourne la tête, elle a la sensation que quelqu'un la regarde en rigolant. À un moment, même madame Lépine lui a semblé suspecte. C'est là qu'elle a compris qu'elle risquait de devenir folle si elle ne se calmait pas.

Du coup, son enthousiasme matinal s'est quelque peu essoufflé. Son intimidatrice a bien un nom, mais celui-ci ne lui dit rien du tout. Que peut-elle trouver avec un nom pareil? « Enfin, pense-t-elle en se dirigeant vers son troisième cours, c'est mieux que rien. »

• • • 👍 • • •

Encore une fois, l'accalmie est de courte durée.
À voir l'expression qu'affichent ses copines lorsqu'elle se pointe pour le dîner, Léa sait qu'il se passe quelque chose. Inquiète de ce qu'elle va découvrir, elle ralentit le pas, priant pour que ce geste calme aussi les battements de son cœur. Mais plus elle approche, plus elle constate l'air mortifié de Julia et de Yasmine, toutes deux appuyées contre son casier.

— Qu'est-ce qui se passe? Y a un nouveau message? Tu as ton cell, Yasmine?

Les deux amies se regardent, hochent légèrement la tête, puis s'écartent silencieusement l'une de l'autre pour laisser voir à Léa la photo qui orne son casier. Le premier réflexe de celle-ci est de regarder autour d'elle pour voir… pour voir elle ne sait quoi au juste. Pour voir qui a pu remarquer la photo et surtout qui a pu la coller à cet endroit. Elle est si choquée qu'elle ne pense même pas à l'enlever. C'est Yasmine qui s'en charge, la chiffonne et la glisse dans sa boîte à lunch en disant :

— Je la jetterai à la maison, comme ça personne ne la récupérera pour la mettre ailleurs.

Léa, qui revient lentement de sa surprise, demande :

— Vous avez vu qui l'a mise là? Il y avait quelqu'un près du casier quand vous êtes arrivées?

Les deux amies font signe que non.

— Oublie ça, Léa. Allons manger, propose Julia.

— Oubliez ça! Non, mais ça va pas? Tu aimerais voir une photo de toi déguisée en obèse sur ton casier? Et là, je ne te parle même pas du commentaire qui l'accompagne. Tu te sentirais comment si on te traitait de grosse vache? Tu crois que tu aurais envie d'aller tranquillement prendre ton lunch à la cafétéria?

— Léa, je suis désolée, reprend Julia. C'est une façon de parler, je sais bien que c'est difficile. Mais si tu commences à t'isoler, tu laisses cette personne gagner. Tu la laisses avoir le contrôle sur toi. On est avec toi, tu n'es pas seule, mais ne reste pas dans ton coin, OK?

Léa sait que son amie a raison, mais elle sait aussi comment elle se sent. Elle n'a pas la force de regarder tout le monde parler dans son dos et rigoler. Et surtout, elle n'a pas envie de donner à Lian une autre occasion de la prendre en photo ou de se moquer d'elle.

— Allez, insiste Yasmine, nous remarquerons peut-être quelque chose qui nous donnera un indice sur l'identité de Lian.

— Bof, répond Léa, c'est comme chercher une aiguille dans une botte de foin. La cafétéria sera pleine, comment veux-tu qu'on remarque quoi que ce soit?

Dans quelque direction que ce soit, Léa a l'impression que tous les yeux se tournent vers elle. En passant devant la table de Béatrice et de ses amies, celle-ci ne résiste pas à la tentation d'émettre un commentaire.

— Alors, Léa, tu as décidé de décorer ton casier?

Léa se fige, regarde Béatrice, qu'elle a de plus en plus de mal à ignorer, et reste sans mot.

— Tu vas enfin commencer un régime, ou tu as envie de doubler de volume? la nargue encore Béatrice.

C'en est trop. Léa explose :
— Qu'est-ce que tu me veux, Béatrice Gagnon? C'est quoi, ton problème? Tu ne peux pas te mêler de tes affaires? Il faut toujours que tu mettes ton grand nez partout. Tu te crois meilleure que tout le monde? Vivre et laisser vivre, ça ne te dit rien? Et surtout, surtout, tu pourrais fermer ta grande gueule…

Béatrice est mortifiée. Jamais personne ne lui a répondu de la sorte. Léa fait volte-face et quitte la cafétéria au pas de course, sous les murmures des élèves qui ont assisté à la scène. Elle finit dans un cul-de-sac, au fond d'un couloir, et s'écroule par terre, tremblante et en larmes.

Les événements des derniers jours repassent en boucle dans sa tête. Elle croyait qu'une fois le secondaire 1 passé, le tour serait joué. Elle a pourtant réussi cette étape avec brio, alors pourquoi tout s'écroule maintenant?

La sonnerie annonçant la reprise des cours retentit sans qu'elle ait trouvé de réponses à ses questions. Les yeux rivés au sol, elle marche en direction de son casier. Ses copines se jettent alors sur elle et la bombardent de questions :
— Tu étais où? On t'a cherchée partout! On croyait que tu étais repartie chez toi.

Léa n'a pas la force de répondre, mais de toute façon, ses amies ne lui en laissent pas le temps.
— On a discuté avec Béatrice après ton départ. En fait, explique Yasmine, c'est plutôt Julia qui lui a parlé.

Léa est ahurie.
— Qu'est-ce que tu veux dire, « parler »? Tu crois que c'est elle?

Yasmine explique à Léa ce qui s'est passé après son départ précipité. Elle lui raconte le brouhaha que sa fuite a généré, les exclamations et les rires des élèves des tables avoisinantes. Elle lui fait part surtout de la façon dont Julia a remis Béatrice à sa place. Comment son amie a qualifié ses commentaires d'assassins, et lui a dit quelle opinion elle avait d'une fille qui profite des mauvais moments des autres pour s'en prendre à eux.

Léa se sent tout à coup un peu mieux. Elle réalise que ses deux amies sont vraiment dans son camp, qu'elle n'est pas seule.

Dans l'autobus qui quitte le stationnement de la polyvalente, Léa remarque, à l'avant, un garçon de son groupe qui n'est pas là d'habitude. Elle ne se souvient plus de son nom. Il est toujours assis au fond de la classe et parle peu. Par son reflet dans la fenêtre, elle a l'impression qu'il la regarde, mais elle met cela sur le compte de sa paranoïa grandissante.

MERCREDI
007

— Allô, Julia. Quoi de neuf?

— Léa, mais qu'est-ce que tu faisais? J'ai essayé de te joindre toute la soirée hier!

La jeune fille lui raconte son exploit.

— Tout à fait d'accord pour que tu prennes un pause de Facebook, répond Julia, mais préviens-moi la prochaine fois, j'étais morte d'inquiétude. J'ai imaginé le pire, moi.

— Qu'est-ce que tu veux dire par « le pire »?

Julia hésite avant de répondre :

— Il y a tellement d'histoires d'horreur à propos de jeunes qui sont intimidés que je ne savais plus quoi penser. J'ai *chaté* toute la soirée avec Yasmine, on était vraiment inquiètes. Bref, préviens-nous quand tu décides de te débrancher.

— OK. En fait, je n'étais pas complètement débranchée. J'ai fait quelques recherches sur Google pour trouver quelque chose sur Bernadette Baudin.

— Et alors?

— Alors rien, soupire Léa. Une vieille dame qui vend des bas de laine qu'elle tricote. Une agente immobilière et une autre qui lit l'avenir à partir de notre aura. Laisse-moi te dire que faire lire mon aura, c'est le dernier de mes soucis pour l'instant.

• • • 👍 • • •

De retour chez elle, Léa respire un peu mieux. Elle a eu une journée normale… enfin presque, si on exclut l'heure du lunch passée à la bibliothèque. Mais au moins, elle se sent un peu plus en sécurité à cet endroit.

Elle a bien remarqué, en allant prendre l'autobus, quelques personnes la pointer du doigt et rire, mais elle commence à s'y faire. Au moins, aucune nouvelle photo n'est apparue, pas plus sur son casier que sur

Facebook. Ses amies lui ont assuré qu'il n'y avait rien de neuf de ce côté.

Elle ouvre ses courriels pour découvrir un nouveau message de Max.

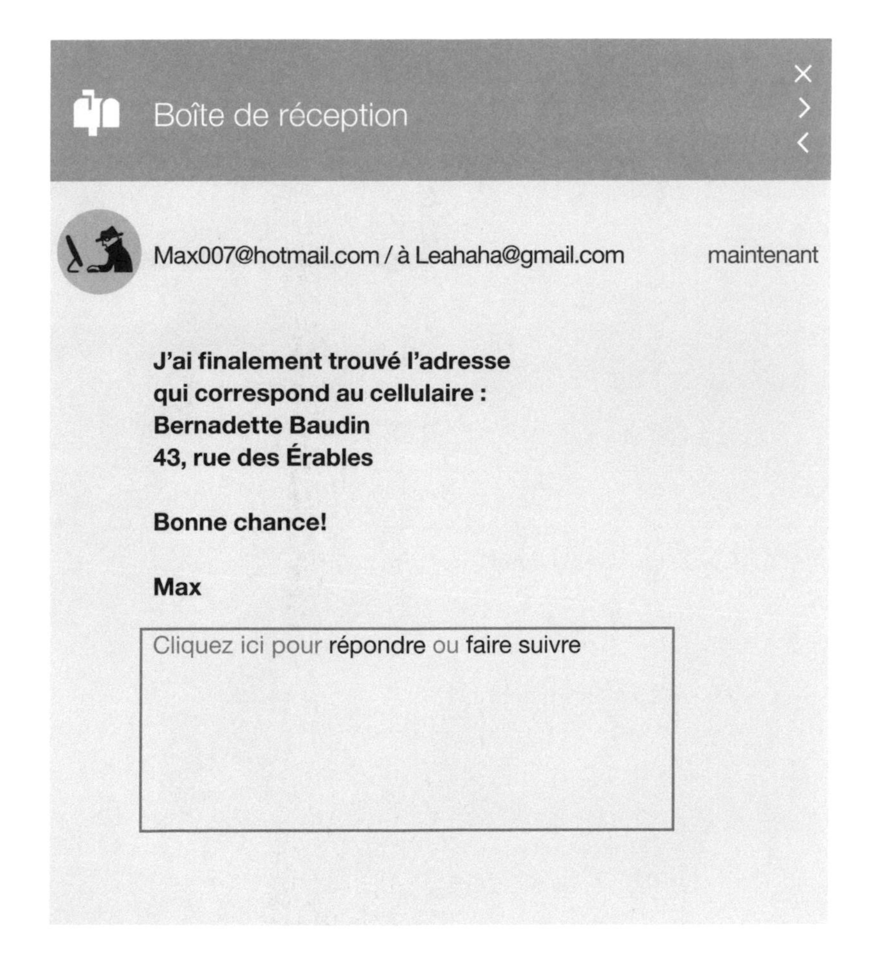
Boîte de réception

Max007@hotmail.com / à Leahaha@gmail.com maintenant

J'ai finalement trouvé l'adresse qui correspond au cellulaire : Bernadette Baudin 43, rue des Érables

Bonne chance!

Max

Cliquez ici pour répondre ou faire suivre

« Rue des Érables, pense Léa, c'est à deux rues d'ici! Mon ennemie habite donc tout près de chez moi. »

Les choses progressent enfin. Léa envoie un petit message à ses amies pour les prévenir, tout en enfilant son manteau.

Les filles, j'ai une adresse!
Je sors tout de suite voir où c'est.
Souhaitez-moi bonne chance.

Yasmineblue

Tu devrais peut-être nous attendre...

Juliacat

On pourrait y aller ensemble?

Les suggestions des filles restent sans réponse, Léa est déjà à mi-chemin entre sa maison et le 43, rue des Érables.

Au moment de s'engager dans cette rue, elle réalise qu'elle ne sait pas du tout ce qu'elle va faire. Cogner à la porte? Demander à voir l'ado de la maison? Demander à rencontrer Bernadette? Trouver un autre prétexte? « Tant pis, décide-t-elle, j'improviserai. »

Devant le 43, rien de particulier. C'est une maison comme il y en a plein dans les rues avoisinantes. Une voiture est garée dans l'entrée. Aucune trace de jeunes dans le coin. Un voisin qui jardine dans ses platebandes l'aborde.
— Est-ce que je peux t'aider, Mademoiselle?

« C'est le temps d'improviser », pense Léa.
— Je cherche la maison d'une amie. Elle m'a dit qu'elle habitait sur la rue des Érables, mais je ne me souviens plus si c'est au 43 ou au 143.

— Le 143 n'existe pas, lui répond l'homme. C'est une toute petite rue, comme tu le vois. Et si ton amie habite là, au 43, c'est que tu as des amies beaucoup plus vieilles que toi. Madame Baudin a l'âge d'être ta grand-mère. Ce qui ne l'empêche pas d'être fort sympathique, ajoute le voisin.
— J'ai dû me tromper, alors, ment Léa. Je vais retourner à la maison et lui téléphoner.

Léa n'a plus le choix, elle doit rebrousser chemin. Elle est un peu déçue, car elle aurait voulu rester dans le coin pour espionner un peu. Mais pour le voisin qui jardine devant chez lui, elle aurait l'air un peu bizarre. Elle quitte les lieux en se promettant d'être plus efficace la prochaine fois.

De retour chez elle, elle répond aux messages des filles, qui commencent à s'impatienter et l'inondent de questions. Malheureusement, elle a peu à leur apprendre, si ce n'est que Bernadette Baudin est une personne âgée et qu'il n'y a pas d'adolescente qui vit dans cette maison. Pour l'instant, c'est le cul-de-sac!

Alors qu'elle se prépare à plonger dans son devoir de français, on cogne à sa porte.

— Léa, tu as deux minutes? J'aimerais te parler.

— Oui, tu peux entrer.

— J'ai discuté avec une collègue au bureau et... il a été question de cyberintimidation...

« Oh, non! pense Léa. Voilà maintenant qu'elle va se mêler de ça. Je n'aurais jamais dû lui en parler. »

— Léa, tu m'écoutes?

— Oui, oui, maman.

— Je crois que j'ai mal réagi, l'autre soir. J'aurais dû prendre le temps de t'écouter. Je réalise que ça peut être grave, ce genre de situation.

— C'est terminé, ment Léa. Tout va bien maintenant. Tu avais raison, je m'en faisais pour rien.

— Tu en es certaine? On peut en discuter et aller chercher de l'aide, s'il le faut.

— Ça va, je te dis. Tout est OK.

— D'accord, mais s'il se passe autre chose, j'aimerais que tu me le dises.

— T'inquiète pas, je te le dirai si quelque chose ne va pas.

Un dernier regard sur Facebook avant la nuit a vite fait de troubler la sérénité de la jeune fille. Elle découvre qu'elle est l'objet d'un sondage. Sous une photo d'elle prise à la cafétéria, il y a deux questions :

Une fois de plus, Léa perd tous ses moyens. Elle connaît bien cette réaction maintenant : son cœur bat plus vite, ses yeux se remplissent d'eau, sa vue se brouille, un léger vertige s'empare d'elle et ses mains tremblent. Depuis le début, elle tente chaque fois de garder son calme et de réagir autrement, mais elle ne contrôle plus rien du tout; ni son intimidatrice ni ses propres réactions.

Elle ne cherche plus à déterminer quand la photo a été prise. Elle ne trouve pas non plus le courage de partager tout ça avec ses copines. Elle s'enfonce dans son lit en espérant que le sommeil viendra rapidement. En vain.

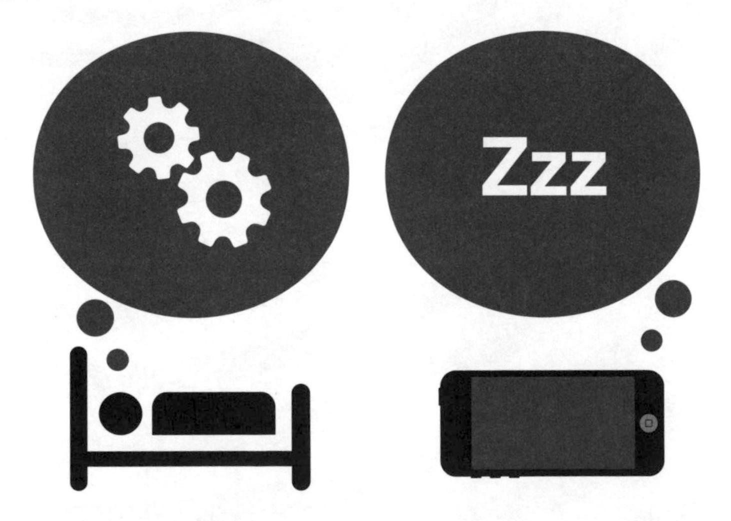

JEUDI ESPIONNAGE, PRISE 2

Léa est loin d'être en grande forme. Elle a passé une mauvaise nuit peuplée de cauchemars, au cours desquels elle était entourée de tous les élèves de l'école qui la pointaient du doigt.

En cherchant ses livres de classe, elle tombe sur le petit bout de papier sur lequel elle a griffonné l'adresse de la rue des Érables. Et si elle s'y rendait ce matin avant de prendre l'autobus? Elle aurait peut-être plus de chance qu'hier, qui sait. Elle accélère sa préparation, file récupérer sa boîte à lunch et un fruit, et quitte la maison en marmonnant une excuse de rendez-vous avec une amie à l'arrêt du bus pour un travail d'équipe. Marie-France trouve cette explication étrange, mais comme Léa a toujours de bons résultats scolaire, elle la laisse aller en se promettant de la questionner le soir venu. Léa marche en direction de la rue des Érables. Elle jette un œil sur la maison du voisin, quoiqu'il soit fort peu probable que celui-ci jardine à 7 heures du matin. Personne en vue : elle ralentit le pas pour passer très lentement devant le numéro 43. Rien. Pas de mouvement visible à l'intérieur, on dirait que les occupants dorment encore. Vue l'heure, Léa doit faire marche arrière et se rendre à l'arrêt du bus. Elle reviendra ce soir. Elle n'a pas l'intention d'abandonner si vite.

• • • 👍 • • •

Pour soutenir leur amie et éviter une nouvelle crise de paranoïa, Julia et Yasmine ont décidé de dîner au deuxième étage, au fond du petit couloir qui débouche sur les laboratoires de chimie. Le couloir se termine en cul-de-sac, et les laboratoires ne sont ouverts que deux jours par semaine. Elles peuvent donc manger en paix sans que Léa ait l'air d'une girouette en pleine tempête à force de regarder autour d'elle.

— Et, commence Yasmine, tu as découvert quelque chose?

— Non, rien du tout en dehors du fait que la dame qui vit là pourrait être ma grand-mère.

— Tu l'as vue?

— Non, mais le voisin m'a renseignée.

— Qu'est-ce que tu vas faire? demande Julia.

— J'y retourne après l'école. C'est ma seule piste, après tout. Le cellulaire qui envoie ces messages et ces photos est au nom de la vieille dame. Je ne comprends pas comment c'est possible, mais c'est tout ce que j'ai.

— Et les observations, qu'est-ce que ça donne? Tu as remarqué quelqu'un de bizarre? Quelque chose de spécial?

— Non, rien du tout. Ou plutôt oui, TOUT LE MONDE me regarde, maintenant. Ils ont tous l'air suspects. Je suis en train de devenir complètement parano. Même madame Lépine avait l'air de me regarder bizarrement.

Yasmine, qui n'a pas envie d'abandonner le sujet, revient à la charge :

— Tu es certaine que tu n'as rien vu de spécial? Près de chez toi? Près de chez la vieille dame? Tu as bien regardé? Tu as cogné chez elle pour voir?

— Tu veux que je lui dise quoi? « Excusez-moi, Madame, je viens voir si c'est vous qui tentez de détruire ma vie? »

— Je ne sais pas, mais elle n'habite peut-être pas seule. Il y a peut-être quelqu'un d'autre dans cette maison.

— Mais ça ne change rien. Je ne peux pas cogner à sa porte et me mettre à l'interroger comme ça.

— C'est vrai, mais sois bien attentive quand tu y retourneras. Essaie de voir s'il n'y a rien d'inhabituel, un indice qu'il y aurait une personne de notre âge dans cette maison.

— Je t'ai dit qu'elle vit seule et qu'elle a l'âge d'être ma grand-mère! réplique Léa, excédée.

Yasmine a tout à coup une petite lueur dans les yeux. Elle dit, un discret sourire aux lèvres :

— Si elle a l'âge d'être ta grand-mère… elle est peut-être la grand-mère de quelqu'un d'autre…

Julia saisit tout de suite le raisonnement de son amie.

— C'est vrai, Léa, elle a peut-être une petite-fille qui va chez elle de temps en temps et qui utilise son cell.

— Ou un petit-fils, enchaîne Yasmine.

En regardant ses deux copines, Léa se dit qu'elles pourraient bien avoir raison. Bernadette est peut-être la grand-mère de l'ennemie. C'est une idée à explorer. Dès cet après-midi, elle retournera chez la vieille dame et trouvera un petit coin pour se cacher et surveiller la maison. Elle n'a aucune idée de la manière dont elle s'y prendra, mais elle trouvera. Il le faut.

Assise aussi confortablement que possible — dans un autobus jaune, ça relève de l'exploit — Léa tente d'élaborer un plan de surveillance. Et de penser à une excuse au cas où elle croiserait de nouveau le voisin jardinier. Par la fenêtre, elle voit arriver le garçon qui a pris son bus il y a deux jours. Le voilà qui y monte de nouveau. Elle ne se souvient toujours pas de son

nom. Il faut dire qu'il passe plutôt inaperçu, pas très grand, mais pas petit non plus, ni trop gros ni trop maigre, les cheveux bruns comme plusieurs garçons de sa classe; c'est un élève plutôt effacé. Toutefois, discret ou pas, elle sait très bien qu'il n'emprunte pas toujours son trajet, Léa en est sûre. Alors que l'autobus s'ébranle, les idées tourbillonnent dans sa tête. Pourquoi prend-il son bus? Où va-t-il? Et quel est son nom déjà? Et à travers toutes ses questions fuse la réplique lancée par Yasmine ce midi :
« Ou un petit-fils! »

Surprise, Léa écarquille les yeux et se demande si c'est possible. Se pourrait-il que ce soit lui? Ce garçon qui ne parle presque jamais? Et s'il s'agit de lui, pourquoi s'est-il attaqué à elle? Elle n'arrive même pas à se souvenir si elle lui a déjà parlé. Peut-être ont-ils échangé quelques mots en tout début d'année, sans plus.

À partir de ce moment, Léa a du mal à se défaire de cette idée. Et si c'était lui? Elle doit le suivre, elle doit trouver un moyen de savoir où il va. La seule stratégie qui lui vient à l'esprit est de surveiller l'arrêt auquel il s'arrête, en espérant que ce soit avant le sien, de manière à descendre au suivant pour revenir sur ses pas, le rattraper et voir où il va.

À peine a-t-elle digéré cette idée que le garçon s'avance pour sortir à l'arrêt situé au coin de la rue des Bouleaux, entre sa rue et celle des Érables. Léa a les mains moites et sent l'excitation monter en elle. Elle espère être capable de le rattraper et de voir où il se rend. Après tout, elle n'a jamais joué les espionnes avant. Une fois le garçon descendu du bus, elle le suit du regard le plus longtemps possible et le voit marcher lentement sur le trottoir en direction de la rue des Érables.

De son côté, elle descend à l'arrêt suivant et court pour le rejoindre. À l'intersection, elle doit ralentir le rythme. Elle a effectivement fait si vite que le garçon se trouve à quelques mètres à peine devant elle! Elle se faufile alors dans l'abribus du coin et laisse quelques secondes filer. Elle se remet ensuite en marche en faisant le moins de bruit possible et en souhaitant surtout que le garçon ne se retournera pas pour regarder derrière lui.

À l'approche du numéro 43, l'adolescent ralentit le pas, coupe à travers le gazon et se dirige vers la porte avant. Il entre sans cogner. Visiblement, il se sent chez lui dans cette maison. Léa jubile. Elle comprend mal pourquoi elle est si emballée. Ce n'est après tout qu'une petite victoire. Elle ne sait pas s'il s'agit du coupable et encore moins pourquoi il se serait attaqué à elle. Mais elle a tout de même franchi une étape. Soudain, elle se rend compte qu'elle se tient directement devant la maison, immobile, à regarder la porte. Complètement absorbée par ses questionnements, elle a oublié où elle se trouvait! Elle reprend alors sa course en direction de chez elle et s'imagine déjà en train de raconter tout cela à ses copines.

• • • 👍 • • •

C'est une jeune fille soulagée et optimiste qui écrit à ses deux amies pour leur faire part de sa trouvaille.

Je sais qui c'est.

Juliacat

Vraiment?

Yasmineblue

Dis-nous.

Je l'ai suivi en descendant de mon bus, et il est allé directement au 43.

Yasmineblue

Il???

Tu avais raison, c'est un gars.

Juliacat

Tu le connais? C'est qui?

Texter un message

Envoyer

C'est un gars de mon groupe.
Je ne me souviens plus de son nom.
Il ne parle jamais et est toujours
au fond de la classe.

Yasmineblue

Qu'est-ce que tu vas faire?
Tu vas lui parler?
Le dénoncer?

Je ne sais pas...
vraiment pas.

Juliacat

Tu devrais aller lui parler.

Sais pas...

Je dois quitter.
On en parle demain.

Texter un message

Envoyer

Léa ne sait plus trop ce qu'elle s'était imaginée, ni comment elle en était venue à une telle conclusion, mais depuis son retour de l'école, elle avait l'impression que toute cette histoire allait se terminer immédiatement. Comme si le fait de savoir qui était la personne qui la harcelait allait instantanément mettre fin à ce cauchemar. « Je me fais encore des idées », réalise-t-elle. Elle comprend maintenant que ce n'est pas parce qu'elle connaît l'origine des messages que l'intimidateur va cesser sur-le-champ tout son travail de démolition. D'ailleurs, il ignore encore qu'elle l'a identifié. Elle se trouve bien naïve d'avoir pensé de la sorte. D'autant plus lorsqu'elle découvre dans ses courriels deux nouveaux messages de son ennemi. Toujours aussi désagréables à lire, évidemment.

Boîte de réception

Lian@yahoo.ca / à Leahaha@gmail.com hier

Je suis déçu, Miss m'as-tu-vue.
Tu n'as pas participé à mon sondage sur Facebook? C'est pas grave, j'avais l'intention d'en imprimer des copies pour les distribuer à l'école demain...

Tu pourras te reprendre.

À bientôt

Pièce attachée

Cliquez ici pour répondre ou faire suivre

 Boîte de réception 

 Lian@yahoo.ca / à Leahaha@gmail.com hier

Je t'invite à visiter
TA page Facebook.
Un nouveau sondage
est en ligne...

Pièce attachée

Cliquez ici pour répondre ou faire suivre

Évidemment, Léa est incapable de ne pas aller voir ce qui se trame. Elle sait que ça ne peut que lui gâcher sa soirée, mais c'est plus fort qu'elle, impossible de faire autrement. Sur la page Facebook est affichée une autre photo d'elle, de dos, alors qu'elle est seule à la bibliothèque. En dessous du cliché, deux questions sont encore posées :

Qui d'autre que les « rejets » passent le midi à la biblio? Pourquoi Léa la *bitch* ne mange-t-elle plus?

« Aussi réussi que l'autre, ce nouveau sondage », pense-t-elle. Ce dernier laisse encore sous-entendre qu'elle n'a pas d'amis, pas de vie, qu'elle est seule, rejetée, bref une grosse nulle.

VENDREDI DÉCISIF

Léa a pris sa décision. Elle n'a consulté personne, pas même Yasmine ni Julia. C'est son choix, et qu'elles soient d'accord ou non avec ce dernier, elle s'y tiendra. Ce midi, elle trouvera ce garçon dont elle a oublié le nom et l'affrontera. Elle lui dira qu'elle l'a démasqué et qu'elle veut qu'il cesse son manège. Mais surtout, elle voudra des réponses. Pourquoi a-t-il fait cela? Et pourquoi à elle?

L'avant-midi se déroule comme d'habitude. Elle a droit à des regards mesquins, à des commentaires à peine subtils et à des rires beaucoup trop sonores à son goût… Rien qui distingue cette journée des autres depuis que ce garçon s'est mis dans la tête de ruiner sa vie. L'école commence sérieusement à ressembler à l'enfer pour Léa, qui n'arrive plus à ignorer tout ce qui se dit autour d'elle.

Malgré tout, les cours du matin passent très vite. C'est une étrange impression de savoir enfin qui la menace. Elle fait de gros efforts pour ne pas se retourner sans arrêt et le regarder. Regarder s'il la regarde, en fait. S'il pianote sur le téléphone de sa grand-mère. S'il la photographie à son insu.

Elle a pris soin de prévenir les filles qu'elle serait un peu en retard pour le dîner et qu'elle irait les rejoindre dans le couloir du deuxième. Ne reste plus qu'à patienter jusqu'à la fin du cours.

Lorsque la cloche retentit enfin, elle choisit de le laisser sortir et de le suivre. C'est difficile d'attendre le bon moment. Elle voudrait lui sauter dessus et le bombarder de questions. Elle le suit néanmoins jusqu'à son casier. Il semble y chercher quelque chose, et entre-temps, la salle se vide petit à petit. Léa s'approche alors doucement de lui, comme si le moindre bruit pouvait le faire disparaître. Elle est maintenant si près de lui qu'elle peut presque l'entendre respirer. Mais elle reste là, immobile, figée sur place.

Le garçon se retourne et sursaute en la voyant :

— Pourquoi? crie alors Léa bien plus fort qu'elle ne l'aurait voulu.

— Laisse-moi tranquille, réplique le garçon.

— QUOI? reprend Léa, qui n'a plus aucune retenue.

— Fous-moi la paix, j'te dis!

Léa regarde autour d'eux et baisse le ton :

— Te foutre la paix? C'est vraiment ce que tu as à me dire?

— Je n'ai rien à te dire. Va-t'en!

— Je sais ce que tu fais. Je sais que c'est toi.

— ...

— Je ne comprends pas pourquoi tu fais ça, mais je sais. Tu as entendu? crie Léa. JE SAIS!

Le garçon la bouscule et quitte les lieux en courant. Léa le regarde partir sans tenter de le retenir.

Les choses ne se sont pas passées comme elle l'avait prévu. À le voir réagir de la sorte, on aurait pu croire que c'était lui, la victime.

Dépitée, elle retrouve ses amies, auxquelles elle raconte la scène. Aucune d'elles ne sait vraiment ce qu'il faut faire. Yasmine insiste encore pour dénoncer ce garçon, mais Léa n'est pas décidée.

• • • • • •

La jeune fille n'est pas surprise de constater qu'il y a un absent dans son groupe cet après-midi, surtout maintenant qu'il sait qu'elle sait.

De retour à la maison, elle s'installe devant l'ordinateur familial et cherche la page « Miss m'as-tu-vue ». Rien. Comme si cette dernière n'avait jamais existé! Elle est soulagée, mais un peu déstabilisée. Est-il possible que toute cette histoire cesse aussi vite qu'elle a commencé? Léa en doute. À présent, cette affaire ne concerne plus une seule personne, mais la moitié de l'école, qui rigole à ses dépens et, pire encore, qui la traite de tous les noms. Chaque fois qu'elle circule dans les corridors, elle est désormais suivie par une volée de mots qu'elle souhaiterait ne jamais entendre.

Perdue dans ses réflexions, Léa n'a pas pensé à écrire à ses amies pour les mettre au courant de la disparition de la page maudite. En pensant qu'elles ont sûrement hâte d'avoir de ses nouvelles, elle ouvre sa boîte courriel et y trouve… un nouveau message de Lian. Et soudain, tout lui revient… Elle se souvient de son nom : Nial! En voyant les lettres qui forment le pseudonyme du harceleur, son cerveau vient de faire la connexion. Elle voit bien maintenant que ce sont les mêmes lettres qui composent son prénom, mais dans un ordre différent. Et dire que tout ce temps, elle a cru que c'était une fille. « Ce gars avait bien pensé à tout. »

Encore plus que d'habitude, Léa hésite à ouvrir le message. Après de longues minutes, elle se décide enfin et ne peut retenir un mouvement de recul lorsqu'elle découvre l'ampleur de celui-ci.

Boîte de réception

Lian@yahoo.ca / à Leahaha@gmail.com maintenant

L'année dernière, ton casier était à dix casiers du mien, dans la même rangée. Je t'ai remarquée tout de suite. Toi, tu ne m'as jamais regardé. Moi, j'ai pensé que nous pourrions être amis ou même plus. Je t'ai souri quelques fois lorsque tu passais près de moi. Tu as parfois fait un petit signe de tête, mais même pas un vrai sourire. J'ai cherché une excuse pour te parler, mais je n'ai rien trouvé. J'étais seul, tous mes amis du primaire étaient dans d'autres écoles. Pourquoi souriais-tu si souvent, mais pas à moi? Pourquoi ne me voyais-tu pas?

Cette année, lorsque j'ai vu que nous étions dans la même classe, je me suis dit que j'avais une nouvelle chance. Dans le cours de français, je me suis assis au bureau libre à côté du tien, mais tu as changé de place pour être à côté de quelqu'un d'autre. Lorsque le prof d'anglais a donné le premier travail d'équipe, je t'ai regardée, je n'ai rien dit, mais j'espérais que nous puissions faire équipe. Tu as refusé de me voir, tu m'as ignoré. Comme si je n'existais pas.

lire la suite

 Boîte de réception 

 Lian@yahoo.ca / à Leahaha@gmail.com maintenant

J'ai su alors que tu te trouvais trop bien pour moi. Que je n'étais pas assez intéressant pour faire partie de ton univers. Ça m'a mis en colère. Vraiment. Je n'ai pas compris… et je ne comprends toujours pas.

Quand j'ai vu tes nouvelles photos sur ta page, j'ai compris qui tu étais vraiment. J'ai compris que tu te trouvais trop belle pour quelqu'un comme moi. J'ai voulu que tu saches comment on se sent quand on est rejeté. J'ai voulu que tu te retrouves toute seule comme moi. Que tu ne saches plus avec qui faire équipe, avec qui parler, avec qui t'asseoir. J'ai réussi.

Je ne sais pas comment tu m'as trouvé, mais si tu dis quoi que ce soit, je nierai. Je n'avouerai rien. J'ai effacé toutes mes traces.

Je ne veux pas te parler. Je ne veux pas que tu viennes me parler. Je veux que tu me laisses tranquille.

Lian/Nial

Léa relit le message une seconde fois. Elle voudrait comprendre ce qui s'est passé dans la tête de Nial, mais elle n'y arrive pas. Elle a autant pitié de lui qu'elle est en colère à son endroit.

Elle se souvient d'avoir changé de place dans le cours de français en début d'année, afin d'être avec une fille de son groupe de théâtre. Tout le monde le fait. Tout le monde s'installe avec quelqu'un qu'il connaît déjà, surtout lorsque les professeurs n'obligent pas les élèves à respecter un ordre précis.

Pour le reste, elle ne se souvient de rien. Elle se demande si ce garçon ne délire pas complètement. Elle ne sait plus quoi penser. Elle n'a jamais vraiment eu l'intention de le dénoncer, mais le fait qu'il la menace encore la choque. C'est vrai qu'elle n'a pas de preuve pour l'accuser formellement. Elle n'a rien gardé, n'a pris aucune capture d'écran des photos ou des commentaires. Il lui reste bien ce message, mais c'est peu.

• • • • • •

Les filles sont aussi consternées que leur copine à la lecture du message du garçon. Yasmine continue de penser qu'il faut dénoncer Nial. De son côté, Julia est indécise. Elle juge que la priorité, c'est que ce garçon arrête son manège et que Léa reprenne une vie normale. Sur ce point, Léa est bien d'accord. Ce qu'elle veut plus que tout, c'est retrouver la fille qu'elle était avant. Celle qui ne regarde pas derrière son épaule, qui traverse l'école sans se poser de questions, qui ne craint pas les éclats de rire des autres, qui ne cherche pas à deviner les pensées de tous ceux qui l'entourent, qui ne se questionne pas au sujet de son poids ou de son apparence, qui rigole entre les cours et qui, surtout, passe inaperçue aux yeux de la plupart des élèves.

Léa ne sait toujours pas ce qu'elle fera. Elle ne sait pas non plus ce qui se passera demain, mais elle n'est pas dupe. Elle est consciente qu'il lui faudra du temps, beaucoup de temps, pour retrouver tout ce qu'elle a perdu.